Paris
Family
Style

Else Puyo et Olivier Jourdanet

introduction

パリのアーティストたちも、
家に帰れば、やさしいパパとママ。
『ようこそパリの子ども部屋』の取材で
アーティストが、自分の子どものためにと
用意した部屋を、はじめて見たときに、
私たちは、あらためてそう感じました。

子どもたちと一緒に過ごす時間を
大切にしている、パリジャンたち。
ファミリーで暮らすアパルトマン全体が、
楽しい時間が詰まった、ワンダーランド。
リビングで、楽器を手に、演奏会をしたり
キッチンで、パパとママを先生にお料理を習ったり
テラスに出て、自分たちで家具を手作りしたり…。

みんなで一緒に、笑いあった時間は
家族のすてきな思い出になることでしょう。
そんなしあわせいっぱいの時間と空間が
パリのファミリースタイルです。

ジュウ・ドゥ・ポゥム

contents

Myriam de Loor et Pan Gang
ミリアム・ドゥ・ルーア & パン・ガング
créateurs de Petit Pan · 6

Annabelle Brietzke et Yves-Marie Pinel
アナベル・ブリエッケ & イヴ-マリー・ピネル
graphiste et artiste · 14

Livie Belaz et Stéphane Lebeau
リヴィ・ベラ & ステファン・ルボー
créatrice de Livette la Suissette et fondateur du site Baladeo · · · · · · 20

Gaëlle Bona et Alexis Place
ガエル・ボナ & アレクシス・プラス
comédienne et sound designer · · · · · · · · · · · · · · · · · · 26

Allison Grant et Mathieu Lambeaux
アリソン・グラント & マチュー・ランボー
créatrice de The Collection et directeur de Findus France · · · · · · · 32

Charlotte Gastaut et Eric Nung
シャルロット・ガストー & エリック・ナン
illustratrice et graphiste · 38

Else Puyo et Olivier Jourdanet
エルス・ブヨ & オリヴィエ・ジュルダネ
créatrice d'Olivelse et graphiste · · · · · · · · · · · · · · · · · · 44

Charlotte Sunden-Barbotin et Marc Barbotin
シャルロット・スンデン-バルボタン & マルク・バルボタン
styliste et directeur commercial · · · · · · · · · · · · · · · · · · · 50

Christèle Ageorges et Hubert Delance
クリステル・アジョルジュ & ユベール・ドゥランス
styliste et responsable marketing · · · · · · · · · · · · · · · · · · 56

Yong et Henrik Andersson
ヨン & ヘンリック・アンダーソン
professeur d'illustration et chef au Fumoir · · · · · · · · · · · · · · 62

Patricia Rindlisbacher
パトリシア・ランドリスバシェール
créatrice de Sid Larsen & Les Coqs · 66

Natalie Vodegel et Patric Ghenassia
ナタリー・ヴォドゲル＆パトリック・ゲナッシア
créatrice de Polder et April Showers et directeur artistique · · · · · · · · 72

Hélène et Christophe Boulze
エレーヌ＆クリストフ・ブールズ
agent de photographe et photographe · 76

Helena et Bruno Amourdedieu
ヘレナ＆ブリューノ・アムールドゥディウ
attachée de presse et ingénieur · 82

Julie Marabelle et Simon Summerscales
ジュリー・マラベル＆シモン・サマースケールズ
créateurs de Famille Summerbelle · 86

Alice et Luc Charbin
アリス＆リュック・シャルバン
illustratrice et papa à plein temps · 92

Sandrine Place et Stéphane Desch
サンドリンヌ・プラス＆ステファン・デッシュ
styliste et directeur de production musicale · · · · · · · · · · · · · · · · 98

Frédérique et Hugues Reboul
フレデリック＆ユーグ・ルブール
illustratrice et publicitaire · 104

Caroline Flé-Jacquet et Arnaud Jacquet
キャロリーヌ・フレ–ジャケ＆アルノー・ジャケ
architecte d'intérieur et directeur affaires publiques · · · · · · · · · · · 110

Julie Ansiau et Jérôme Mouscadet
ジュリー・アンジオウ＆ジェローム・ムスカデ
photographe, plasticienne et réalisateur · · · · · · · · · · · · · · · · · · 114

Isabelle Dubois-Dumée Bettan et Hubert Bettan
イザベル・デュボワ–デュメ・ベタン＆ユベール・ベタン
créatrice des Petites Emplettes et directeur de projet · · · · · · · · · · 120

Myriam de Loor et Pan Gang

ミリアム・ドゥ・ルーア＆パン・ガング
créateurs de Petit Pan

Emile, Théo et Pablo
エミール＆テオ＆パブロ
3 garçons / 9 ans, 8 ans et 4 ans

カラフルでレトロなモチーフが楽しい子ども服や
中国の伝統的な凧づくりのテクニックをいかした
インテリア雑貨を生み出す「プチ・パン」。
クリエーターのミリアムさんとパンさんは
エミールくんと、テオくん、パブロくん
元気いっぱいの3兄弟のパパとママです。
今日は家族みんなで、にぎやかに餃子づくり。
中国出身のパパが、子どものころから
親しんでいたレシピで、皮から手作りします。

ポップな色と光の魔法がかかった、ワンダーランド

「プチ・パン」ファミリーが暮らすアパルトマンは、バスティーユにあります。アトリエを通り抜けて、2階にあがると子ども部屋、さらにもうひとつ上の階がリビングとキッチンという、3層に分かれたメゾネットタイプの住まいです。まっ白で輝くように明るいリビングは、家族みんなのお気に入りの空間。あちこちに飾られる作品が、ファンタジーあふれる世界を作り出しています。家族の調和を大切にしているミリアムさんとパンさん。その日にあったことをそれぞれが打ち明ける夕ごはんの時間は、おしゃべりに夢中になってしまいます。

左上：階段に面したキッチンはシンプルな造り。お鍋型のランプは「プチ・パン」コレクションのひとつ。右上：暮らしの中にある道具に愛おしさを感じて、調理用品をモチーフにしたモビールを作りました。右下：白いキッチンでは、あざやかな色の雑貨がアクセント。

左上：パパとママ、パブロくん、エミールくん、そしてテオくん、それぞれの手に自分で作った餃子をのせて。右上：シノワ・テイストのイラスト入り「プチ・バン」ミラー。左中：エミールくんがかわいがっている5羽のカナリアと中国みやげの大きな鳥。左下：美しい色のスツールは、ショップにも置く予定。右下：カラフルなリボン状の布を使ったカーテンは、おばあちゃんの家を思い出してママが作ったもの。

子どもたちがレールを組み立てて電車遊びに夢中の広いリビングでは、天井に「プチ・パン」コレクションの雲形ランプ、壁一面の棚には創作のための素材が並んでいます。

左上：テオくんとパブロくんの部屋にある二段ベッドは、パパが作ってくれたもの。右上：パブロくんが見せてくれたタツノオトシゴは、テオくんの絵から生まれたオブジェ。右中：クローゼットには、おもちゃの武器の収納場所も。左下：エミールくんが6歳のときに作った陶器のネームプレートと、竹とシルクでできた魚のオーナメント。右下：エミールくんが自分で作ったポーチ。

左上：「プチ・バン」のベッドカバーの上に広げられたぬいぐるみは、子どもたちのお気に入り。
右上：ドイツのブランド「タージ」のランプ。左中：スキューバダイビングや海中での魚釣りが趣味のパパに影響されて、子どもたちも海の生き物が大好き。左下＆右下：棚の目隠しにしている引き戸を、お絵描きのための黒板に。飾り棚の上には「ツェツェ・アソシエ」のキュービストライトを。

ANNABELLE BRIETZKE ET YVES-MARIE PINEL

アナベル・ブリエッケ&イヴ-マリー・ピネル
graphiste et artiste

Augustin et Céleste
オーギュスタン&セレーストゥ
1 garçon et 1 fille / 11 ans et 6 ans

緑の庭に面したリビングで過ごす時間は、
まるで戸外で、ピクニックしているみたい。
明るい光に包まれる、窓辺のソファーは
みんなで読書を楽しむのに、ぴったりの場所。
学校で読書クラブに入っているオーギュスタンくんは
パパの肩越しに、新聞を読むのが好き。
得意な教科は「ごはんの時間と、読書の時間」という
おちゃめなセレーストゥちゃんは、ママと一緒に
お気に入りの絵本のページをめくります。

子どもたちとの時間を大切にした、静かな一軒家

モントルイユにある小さな一軒家に暮らす、オーギュスタンくんとセレーストゥちゃん。ママのアナベルさんはグラフィックデザイナー、パパのイヴ-マリーさんはアーティストとして作品を発表しながら、アートスクールの教師を務めています。子どもたちのリズムにあわせられるよう、ママは庭に建てたアトリエで仕事をしています。16時半になると子どもたちを学校へお迎えに。ビスケットや果物のおやつを食べたら、アトリエで宿題をするというのが日課です。パパが学校から帰ってくると、そのままみんなでお絵描き大会になることも。

左下：ダイニングテーブルに色えんぴつや紙を広げて、みんなでお絵描き。右上：セレーストゥちゃんがかわいがっている、うさぎのキャロット。右下：オーギュスタンくんは、紙を折り曲げて仕掛けしながら、大きな口のモンスターを描きます。

左上：ネコの飾りが付いた筒は、子どもたちが生まれる前、ふたりで旅したビルマの思い出。右上：クラシックな肖像画に手描きでモチーフを加えたパパの作品の前に、みんなで並んで。左下：ママのアイデアで、タイルでクジラを描いた子どもたちのためのバスルーム。右中：「プチ・バン」のキリン型のオブジェ。右下：ノルマンディーで手に入れた船の絵と、「プチ・バン」のモビール。

左上：ママが雑誌でひとめぼれしたピンクのロバ柄の壁紙が、セレーストゥちゃんの部屋のアクセント。右上：「イケア」の黒板を使った先生ごっこが、最近のお気に入りの遊び。右中：歌ったり物まねしたりするときに使うギターと、はじめて手にした人形。左下：イラストで電気スイッチを楽しくデコレーション。右下：ドールハウスは、サンタさんからのおくりもの。

上：「ザ・シンプソンズ」のバートを拡大コピーして貼った壁のデコレーションは、ママのアイデア。一緒にベッドでくつろいでいるかのような姿に、オーギュスタンくんは大よろこび。左下：暖炉の上に、アーティストのアラン・サチェスからもらったデッサンを飾って。右中：柔道に水泳、フェンシングでもらった自慢のメダル。右下：『ル・プチ・ニコラ』は、お気に入りの本。

19

Livie Belaz et Stéphane Lebeau

リヴィ・ベラ&ステファン・ルボー

créatrice de Livette la Suissette et fondateur du site Baladeo

Enzo et Céleste
エンゾ&セレーストゥ

1 garçon et 1 fille / 8 ans et 5 ans

ママとパパの好きな色、バスク・ルージュ。
あたたかみのある、この濃い赤色に包まれた
ダイニングキッチンでの週末のお楽しみは
家族みんなで、おいしいピザを作ること。
生地を伸ばして、ソースをかけて
子どもたちは具材をカットしたり、散らしたり。
オーブンに入れて、いい香りがしてきたら
あつあつの焼きたてを、ソファーへ。
みんなで映画を見ながら、いただきます！

左上：ポップなデザインの食器が並ぶ朝ごはんは、子どもたちにも楽しい時間。左中：おやつの時間に少しずつ配るキャンディは、いろいろな種類をミックスしてボトルに。右上：子どもたちはペティナイフで、ピザの具材の準備をお手伝い。左下：学校で子どもたちが描いたイラストをプリントしたエプロン。売上はアフリカの学校に寄付されます。右下：キッチンにもバスク・ルージュを取り入れて。

あざやかな赤がポイント、家族のくつろぎの空間

布を素材に子どものための雑貨やおもちゃを生み出す「リヴェット・ラ・スイセット」クリエーターのリヴィさんと、アウトドア用品を扱うオンライン・ショップ「バラデオ」を立ち上げたステファンさんは、サン・マルタン運河にほど近い18区に暮らしています。最上階にある一家の住まいは、ぜいたくな広さのテラス付き。エンゾくんとセレーストゥちゃん、子どもたちも気に入っているのが、ダイニングキッチンとリビングがつながった部屋。天窓から明るい光が1日中たっぷりと差しこむ広々とした空間で、のびのびとくつろぐことができます。

左上：ダイニングテーブルを背にしたソファーには、ママが手がけたクッションを並べて。右上：焼き上がりが待ち遠しい、みんなで作ったピザを前に。右下：お絵描きが好きなセレーストゥちゃん。幼稚園から毎日、作品を持って帰ります。

左上：のみの市でママが見つけたアラン・グレの絵本。右上：サーカスと魔法の世界に夢中というエンゾくん。ヴァカンスではおじいちゃんとおばあちゃんに、自分で考えたサーカスのスペクタルを見せてあげます。左中：大好きなサーカスの絵本とおもちゃ。左下：ママが作ったクッションを敷き詰めたコーナー。右下：スイスのおじいちゃんと作ったロープウェイがかけられたエンゾくんの部屋。

左上：おしゃれ大好きというセレーストゥちゃんのクローゼット。右上：ママが手がけた布製の「朝ごはんセット」。左中：最近はプリンセスやフェアリーが出てくるおとぎ話に夢中。左下：エンゾくんとババが作った、マリオネットの舞台。右下：赤ちゃん人形や絵本、お気に入りのおもちゃが並ぶコーナー。棚の上にあるお店屋さんのおもちゃは、おばあちゃんが子どものころ遊んでいたもの。

Gaëlle Bona et
Alexis Place

ガエル・ボナ&アレクシス・プラス
comédienne et sound designer

Lili リリ
1 fille / 2 ans

リリちゃんがお腹の中にいたときから、
アパルトマンでは、ふたりの好きな曲を
流していたという、ガエルさんとアレクシスさん。
大きくなったリリちゃんは、楽器を演奏したり
音にあわせて踊ったりするのが大好き。
いまお気に入りの音楽は、日本のアニメ
「となりのトトロ」のサウンドトラック。
パパとママとリリちゃんで、楽器を手に
コンサートがはじまります。

パパとママの愛情がこめられた、手作りインテリア

テレビや映画を中心に活躍する女優のガエルさんと、サウンド・デザイナーのアレクシスさん。ふたりはリリちゃんが生まれる少し前に、この60年代に建てられたアパルトマンへ引っ越してきました。住まいはリビングと小さなキッチン、パパとママのベッドルーム、その隣に子ども部屋という間取りです。部屋には、手作りが得意なパパとママが手がけた家具や雑貨がたくさん。そのどれもが個性的なデザインで楽しいものばかり。リリちゃんにも自由なこころを持ってほしいと考えているパパとママ。手作りのインテリアから、想像力が豊かに育ちそうです。

左上：アンティークのひじ掛けイスのあいだに、リリちゃん用のイスを置いて。右上：おじいさんがおみやげ屋さんをしていたママにとって、エッフェル塔は思い出のオブジェ。パパが作った本棚にディスプレイ。右下：親戚や友だちのあいだで譲り渡しながら使っているハイチェア。

左上：すれ違うものすべてに「バイバイ」を言うのが楽しいリリちゃん。カメラにも笑顔で「バイバイ！」。左中：「ツェツェ・アソシエ」のインディアン・キッチンには、ヴィンテージの食器が並びます。右上：キッチンにつながる小窓の下は、マットレスで作ったソファー。左下：古いリネンシーツを素材に、ママがイラストを描いて仕立てたクッションカバー。右下：リリちゃんお気に入りの靴。

左上:壁に飾った絵画は、画家として活躍するおばあちゃんの作品。ベッドの上でリリちゃんを見守ってくれます。右上:ヴィンテージのおもちゃ棚の取っ手には、ママが子どものころ気に入っていたパンダのポシェット。右中:ママ手作りのワンピースを着て。左下:リリちゃんを身ごもっていたときにママが作った人形たち。右下:女の子型のボトルは、70年代のシャンプーや香水の容器。

左上：お気に入りの人形たち。右上：ハンガーラックにかかったネイビーのワンピースは、パパからのプレゼント。左下：壁にピンナップしたイラストは、ママがリリちゃんの好きなものを描いてあげたもの。右中：ペンギン型ランプの前に置いた、ゾウはいとこのお兄ちゃんから。右下：おばあちゃんからママ、そしてリリちゃんに受け継がれた人形。ママにも内緒のお話を、この人形に打ち明けるのだそう。

ALLISON GRANT ET MATHIEU LAMBEAUX

アリソン・グラント&マチュー・ランボー
créatrice de The Collection et directeur de Findus France

Tom, Etienne, Louis et Félix
トム&エチエンヌ&ルイ&フェリックス
4 garçons / 12 ans, 10 ans, 8 ans et 1 an

パリの西の郊外は、緑にあふれる美しい場所。
アリソンさんとマチューさんは、イギリスの
ケンブリッジで暮らしていたときの思い出から
子どもたちに、のびのびと成長してほしいと
パリ中心地から、この家へと引っ越してきました。
家の前に広がる大きな庭で、かけまわったり
子どもたちだけで、自転車で出かけたり、
からだいっぱい自然を楽しむ、男の子4人。
きっとたくましく、やさしく育つことでしょう。

ウォールペーパーを使った、楽しいデザイン・ハウス

アリソンさんは、12歳のトムくんを筆頭に、エチエンヌくん、ルイくん、そして1歳になったばかりのフェリックスくんという4人の男の子のママ。ヨーロッパのデザイン・アイテムをセレクトしたショップ「ザ・コレクション」のオーナーです。イギリス出身のアリソンさんは、フランスの食品メーカーに勤めるマチューさんと出会い、パリで暮らすことになりました。4年前から暮らしているこの郊外の家は、もともと1800年代に建てられた厩舎。細長い形の建物を、大がかりなリフォームで家族の住まいに変身させました。

上：リビングのまん中には、パパお気に入りのイームズのラウンジチェア。やさしいタッチで植物が描かれた壁紙は「ザ・コレクション」で。左下：友だちのお母さんの手編みクッション。
右下：ベルギーのデザイナーのキャニスターと、ノルマンディーののみの市で見つけた花瓶。

左上：パパはお仕事、トムくんは学校なので、ママを囲んでのポートレート。右上：フェリックスくんのベッドカバーを編んでいるところ。左中：スザンヌ・シュラッターがデザインしたクッション。左下：ショップ・オリジナルのクッションを抱きしめるフェッリクスくん。右下：ネット・オークションで手に入れたぶらんこ。オランダの「INKE」がデザインした壁紙を背景に、ポエティックな雰囲気。

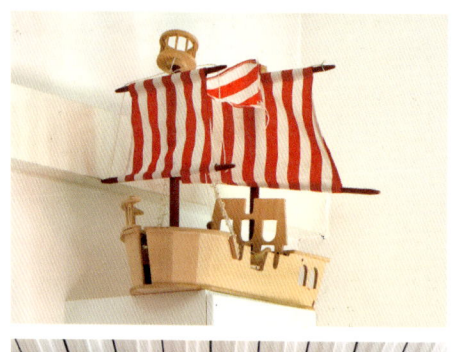

左上：ルイくんが大好きな海賊船のおもちゃ。左中：メダルやバッジなどエチエンヌくんの宝物が入った水色のチェスト。右上：リジー・アレンがデザインした壁紙を貼ったルイくんの部屋は、赤がテーマカラー。左下：パパと子どもたち、みんなで盛り上がるサッカーゲーム。右中：トムくんが描いた絵や旅先のポストカードをピンナップ。右下：トムくんの宝物箱の上には、工作が並びます。

2階はお兄ちゃんたち3人の部屋が、廊下でつながるオープンな空間。はしごでロフトにのぼると、ひとりだけのスペースを持つことができます。

CHARLOTTE GASTAUT ET ERIC NUNG

シャルロット・ガストー&エリック・ナン
illustratrice et graphiste

Prudence et Violette
プリュダンス&ヴィオレット
2 filles / 5 ans et 3 ans

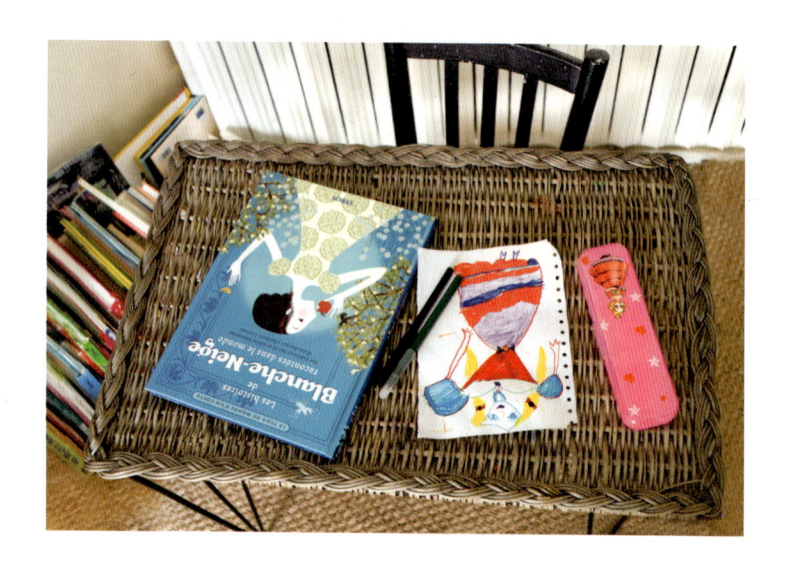

ママが描く、絵本の中のプリンセスにあこがれる
プリュダンスちゃんとヴィオレットちゃん。
お気に入りの洋服を身につけて、
お姫さまごっこをするのが大好き。
衣装ケースから、ドレスをひっぱりだして
ヴィンテージのスカーフを頭に巻いて
ふたりのかわいらしいプリンセスが登場。
「ねぇ、ママ！今日はこのまま
おやつの時間にしてもいいよね？」

左上：リビングのドアには、気になったイメージをピンナップ。左中：今日のおやつは、たっぷりのバターを塗ってハムとピクルスをのせるタルティーヌ。右上：ママの両親が使っていたテーブルやイスに、「イケア」のランプシェードとテーブルクロスをあわせたミックススタイルのダイニング。左下：階段に子ども靴をディスプレイ。右下：デンマーク製のダックスフントの置物は、おばあちゃんからのプレゼント。

絵本の世界から抜け出てきた、ふたりのプリンセス

ママのシャルロットさんはイラストレーター、パパのエリックさんは「リュイギ&リュイギ」という映像プロダクションを立ち上げたデザイナーです。一家が暮らすのは小さな村のようなカルチエ、ビュットショーモン。建物に囲まれた中庭に建つ、小さな一軒家を自分たちでリフォームして暮らしています。家の中は1階がリビングとキッチン、中2階にパパとママの寝室、2階に子ども部屋、そして地下にアトリエという間取り。ニュアンスある色使いのインテリアの中で遊ぶふたりのプリンセスは、まるでママの絵本から抜け出てきたかのようです。

左上：本棚の下には、パパがキューバから持ち帰った70年代の映画ポスター。右上：ちょっとシャイなふたりは、ママに甘えながらポーズ。右下：ママがおじいさんから譲り受けたポスターの前には、画家であるおばあさんが作った箱や人形を並べて。

上：リビングの大きなソファーでは、みんなで映画を見ながら、うたた寝してしまうことも。食器棚の上や壁面は、思い出深い写真やオブジェを組みあわせてディスプレイ。中：「ハビタ」のCDラックを壁にリズミカルに配置した飾り棚には、キッチュなオブジェを入れて。左下：ナタリー・レテのミニカード。中下：ママのお気に入りの靴。右下：ナタリー・シューのセラミック・オブジェ。

左上：ユーモラスなネコのモチーフは、スウェーデンのテキスタイルから。右上：ママが挿し絵を担当したアイルランドのおとぎ話の絵本と、プリュダンスちゃんが4歳のときに作った紙ねんど人形。左下：プリュダンスちゃんのベッドコーナー。右中：おしゃぶりを止めるごほうびにパパにもらったパンダと、お姉ちゃんに譲ってもらったゾウ、それぞれお気に入りのぬいぐるみと一緒に。

子ども部屋を包みこむような、やさしさあふれる木の絵画はママのお母さん、画家のマリエヴァ・ガストーさんが、プリュダンスちゃんが生まれたお祝いに描いてくれたもの。

ELSE PUYO ET OLIVIER JOURDANET

エルス・プヨ＆オリヴィエ・ジュルダネ
créatrice d'Olivelse et graphiste

Mila et Luce
ミラ＆リュス
2 filles / 4 ans et 2 ans

ぐるりと窓に囲まれた、リビングは
お日さまの光に包まれる、明るい空間。
あたたかい日だまりに誘われて
パパにママ、ミラちゃんとリュスちゃん
家族が集まる、気持ちのいい場所です。
天井が高いので、背の高いパパに
飛行機ごっこをしてもらっても、だいじょうぶ。
子どもたちが、お気に入りのおもちゃを持ってきて
リビングは、いつのまにかプレイルームに。

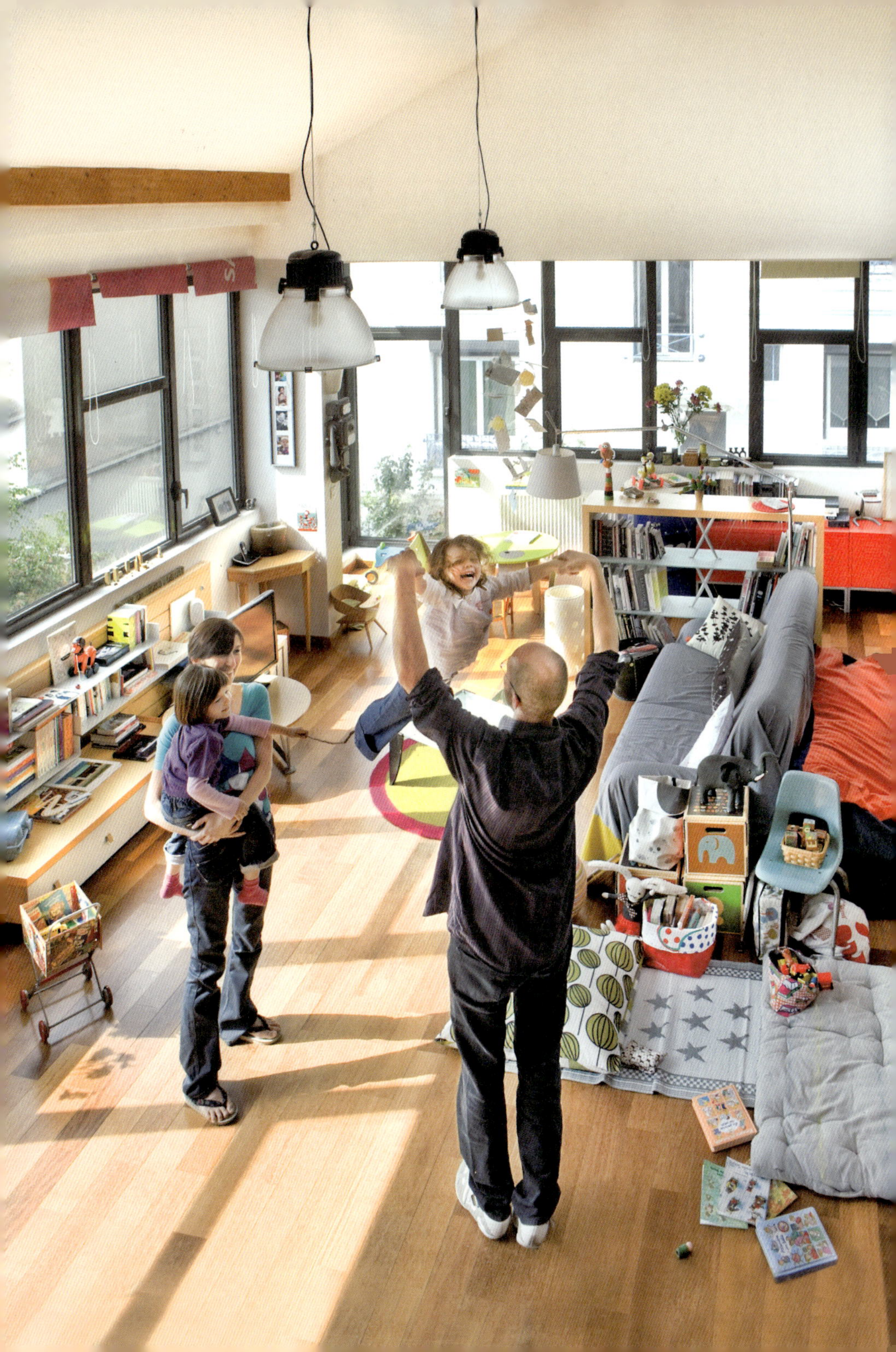

アパルトマン全体が、子どもと一緒のプレイルーム

テキスタイル雑貨のブランド「オリヴェルス」のクリエーターのエルスさんと、グラフィックデザイナーのオリヴィエさんは、子どもたちのために広いスペースを求めて、パリ南部の郊外に引っ越してきました。パパもママも色が好きなので、インテリアはカラフルに。そして子どもたちが家で快適に過ごせるようにカスタマイズ。たとえば収納は、子どもの手が届く高さを心がけました。自然な形で子どもたちの好奇心を呼び起こしたいというパパとママ。古いオブジェや本、さまざまなものが子どもの目に触れる、楽しいインテリアに両親の思いが感じられます。

左上：リビングの中央に広げたマットのまわりは、子どもたちが持ってきたおもちゃでいっぱい。右上：カードや写真、お芝居のチケットなどを吊り下げた、思い出モビール。右下：カナダのブランド「プチ・フラヌール」の積み木は、ふたりへのクリスマスプレゼント。

左上：ママが子どもたちのためにデザインしたテーブルとイス。右上：パパのおひざの上にミラちゃん、ママのところにはリュスちゃんが座って。左中：ママがコレクションしている、ヴィンテージの自動販売機。左下：1956年製の人形はリュスちゃんのもの、おおかみのぬいぐるみはミラちゃんのお気に入り。右下：クリニャンクールののみの市で見つけたメタルの棚は、職人さんの工具入れ。

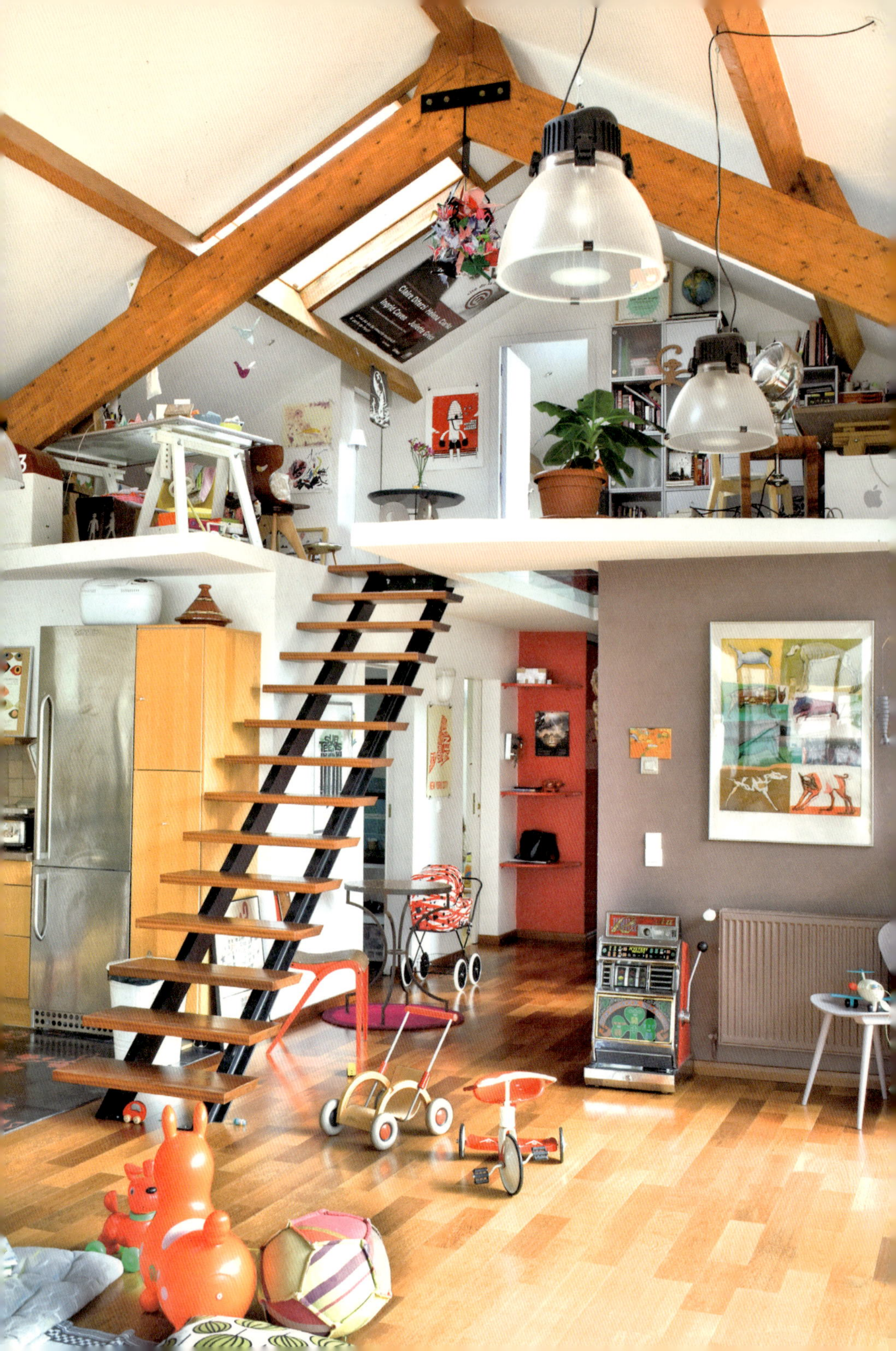

左上：「ザ・リトル・ワンズ」のポスターは、アメリカのサイトで。左中：ママが手がけたギターと、ドイツのクリエーターによるヴァイキング。右上：リュスちゃんのベッドは、ママがペイント。壁にはマグネットで好きなものをピンナップできる黒板を取り付けました。左下：フィッシャー・プライス社の60年代のランチボックス。右下：枕にぬいぐるみ、ママの作品に囲まれたベッド。

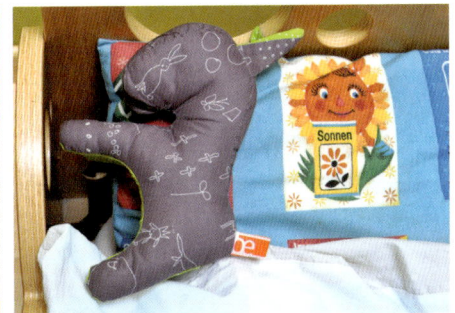

CHARLOTTE SUNDEN-BARBOTIN ET MARC BARBOTIN

シャルロット・スンデン-バルボタン & マルク・バルボタン
styliste et directeur commercial

Gustav et Esther
ギュスタヴ & エステール
1 garçon et 1 fille / 9 ans et 4 ans

スウェーデン出身のシャルロットさんにとって
あたたかい暖炉は、親しみ深いもの。
寒くなってくると、リビングの暖炉に火を入れて
ソファーに集まり、家族でカラオケ・パーティー！
曲はもちろん、スウェーデンのポップスを代表する
ミュージシャン、アバの「マンマ・ミア」。
子どもたちは、歌いながら英語もお勉強。
エステールちゃんは、くるくると
得意のダンスを披露してくれます。

上：ギターの授業をとるギュスタヴくんと、コンテンポラリーダンスに通うエステールちゃん。ふたりとも音楽好きで、得点がつくカラオケに夢中です。左中：エステールちゃんが毎日のように遊ぶおもちゃ。左下：きのこモチーフが愛らしい手編みのクッションカバーは、ガレージセールでの掘り出し物。右下：ブーケ柄のテキスタイルは、スウェーデンのブランド「ヨブス」のもの。

インテリアは、しあわせな家族の思い出のパッチワーク

パリ東部に暮らすインテリア・スタイリストのシャルロットさんと、情報処理の会社に勤めるマルクさん。週末には家から近いヴァンセンヌの森へ、サイクリングするのが家族の楽しみです。小さなテラスがついたメゾネットタイプの部屋は、全体を白くペイントして、カーペットやテキスタイルをパッチワークするかのように、たくさん取り入れることで、自分たちらしくアレンジ。ママがいちばん力を入れた子ども部屋には、とっておきの思い出の品を使い、しあわせな気持ちに包まれる空間を作りあげました。

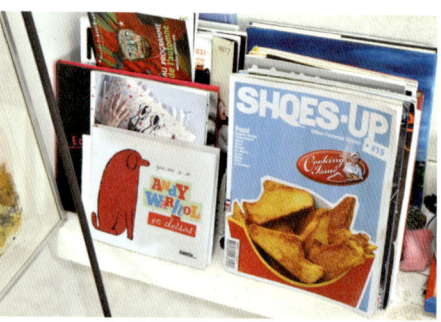

上：リビングの大きな暖炉を囲みながら、絵画や額におさめたテキスタイルを飾って、壁全体をパッチワークのようにデコレーション。左下：スウェーデンのおばあさんから譲ってもらった陶器コレクション。右下：暖炉の縁がマガジンラック代わり。

左上：天気がいい日は、リビングに続くテラスで。左中：おばさんからプレゼントされたのをきっかけに、コレクションしている「ペッツ」。パリのモニュメントが描かれたステッカーは、ドイツの「EXTRATAPETE」のもの。右上：ギュスタヴくんの部屋の壁には、お気に入りのブルーを。左下：2歳のころのギュスタヴくんの写真。右下：ガレージセールで手に入れた西部劇のおもちゃ。

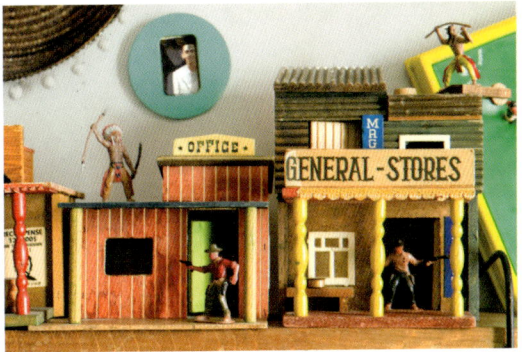

左上：高い天井をいかして、エステールちゃんの小さなデスクの上に渡したポールを洋服ラックに。
右上：いちばんのお気に入りのバンビのぬいぐるみを横に、絵本をめくりながら自分だけのお話を作るエステールちゃん。右中：パパが子どものころに使っていたランプ。左下：イラストが気に入っている小さな手鏡。右下：チャリティーショップで見つけた棚には、小さな宝物をディスプレイ。

Bonheur

Christèle Ageorges et Hubert Delance

クリステル・アジョルジュ&ユベール・ドゥランス
styliste et responsable marketing

Théophile et Léonie
テオフィル&レオニー
1 gaeçon et 1 fille / 12 ans et 9 ans

吹き抜けになったガラス張りの天井から、
ぽっかりと浮かぶ、紙製のまるいランプシェード。
まるで雲のように、風にあわせて動きます。
その下で、思い思いに本のページをめくる家族。
もともとパパが読書好きで、その影響もあって
3時間でもずっと、本に夢中になっているという
テオフィルくん。特に好きなのは、歴史もの。
レオニーちゃんのお気に入りは、女の子が主人公のお話。
イラストのかわいいドレスに、あこがれています。

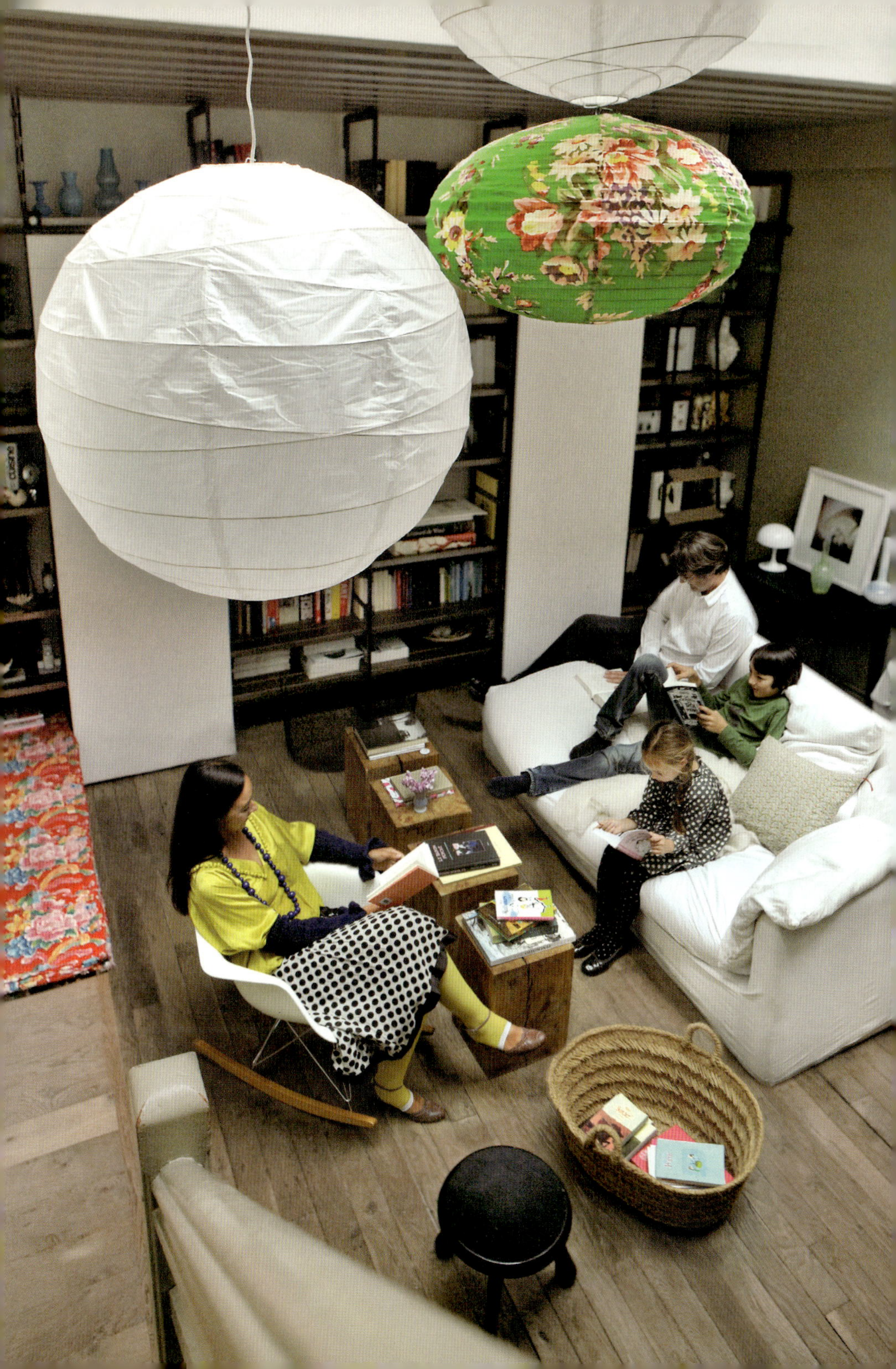

アトリエがシックなカラーのドールハウスに変身

もともと彫刻家がアトリエとして使っていた、この建物を最初に見たとき、子どもたちと一緒に暮らす雰囲気とはほど遠く感じられたという、スタイリストのクリステルさんと、マーケティング会社責任者のユベールさん。しかし不思議な魅力を持った空間にひきつけられ、建築家にリフォームをお願い。天井の高さを利用して中2階を設け、子ども部屋とベッドルームを作り、家族の住まいへと変身させました。パパはキッチンや子ども部屋のための収納を手作り、ママは部屋のカラーリングのアイデアを出して、居心地のいい住まいが生まれました。

左上：窓から見える中庭の緑が気持ちいいキッチンは、「セメントベージュ」と呼ばれるシックなカーキ色でペイント。右上：友だちがプレゼントしてくれたプレートと、「クリストフ」のスプーンをかたどったオブジェ。右下：のみの市で出会った、美しい水色の花器。

左上：家族全員の大きな夢は、いつか外国で暮らすこと。**右上**：大叔母さんが子どものころに遊んでいた人形用ベビーカーは、ママがペイントして布を張り替えました。**左中**：「イケア」のキャンドルスタンドに、ヴァカンス先の海岸で集めたものを飾って。**左下**：陶芸教室に通うレオニーちゃんの作品。**右下**：中2階にある子ども部屋とパパとママの寝室は、細い渡り廊下でつながっています。

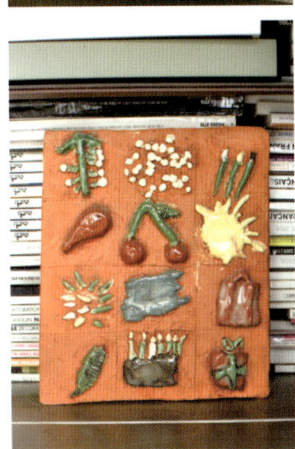

左上：子ども服ブティック「ボンボワン」で見つけたトナカイ。右上：おばあちゃんが作ってくれた馬のクッションと、クリスマスプレゼントでもらったシロクマのぬいぐるみ。左下：テオフィルくんの部屋は、やさしい水色でペイント。ベッドの下は、パパの作った引き出し式の机と収納棚。
右中：大好きな馬の写真をピンナップ。右下：ロボットたちは、パパからのプレゼント。

左上：パリの地図で作られたワンピースは、雑誌でモデルをしたレオニーちゃんにプレゼントされたもの。左中：誕生日には、毎年ひとつずつ人形を。右上：サラ・ケイがイラストを手がける大好きな絵本を手に。左下：おままごとセットは、ママが子どものころに使っていたものや、のみの市で見つけた古いものばかり。右下：人形用のドレスはボックスに入れて、パパが作った棚の中へ。

Yong et Henrik Andersson

ヨン&ヘンリック・アンダーソン
professeur d'illustration et chef au Fumoir

Lou, Nico et Sacha
ルー&ニコ&サシャ
1 fille et 2 garçons / 10 ans, 8 ans et 6 ans

ヴァカンスになると、シトロエンに乗りこんで
パパとママが生まれた国、スウェーデンまで
ドライブを楽しみながら、旅をするアンダーソン一家。
北欧の森で釣りをしたり、キャンプをしたり…。
パリのアパルトマンに戻ってからも、
ヴァカンスの思い出に、スウェーデンの夏の風物詩
「ザリガニ・パーティー」を開きます。
お皿に山盛りになった、まっ赤なザリガニを囲んで
おしゃべりの花が咲く、みんな大好きなお祭りです。

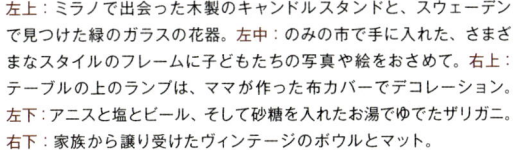

左上：ミラノで出会った木製のキャンドルスタンドと、スウェーデンで見つけた緑のガラスの花器。左中：のみの市で手に入れた、さまざまなスタイルのフレームに子どもたちの写真や絵をおさめて。右上：テーブルの上のランプは、ママが作った布カバーでデコレーション。左下：アニスと塩とビール、そして砂糖を入れたお湯でゆでたザリガニ。右下：家族から譲り受けたヴィンテージのボウルとマット。

のんびりした北欧と、軽やかなパリの空気をミックス

パーソンズ・スクールのパリ校でイラストを教えるヨンさんと、ルーブル美術館そばの「フュモワール」でシェフを勤めるヘンリックさん。ふたりが3人の子どもたちと暮らすアパルトマンは、パリ植物園のすぐ近く。緑に囲まれるおだやかなカルチエです。アパルトマンの中はシンプルなインテリアで、軽やかな雰囲気。夕食は、家族みんなでお料理。パパも子どもたちと料理することを楽しみにしています。自分たちで作った食事は、おいしさも格別。ニコくんは特に料理好きで、パパのようなシェフになることが、いまの夢なのだそう。

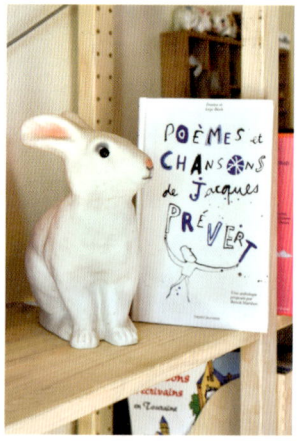

左上：ニコくんとサシャくんの部屋は、明るいキャンディーピンクでペイント。右上：うさぎのランプは「プチ・パン」のショップで。ジャック・プレヴェールの詩集は、子どもたちが眠る前に読み聞かせているもの。右下：ママ手作りのピンナップボード。

左上：ユーモアたっぷりのサシャくんと、創造性にあふれたニコくん、そして思慮深いルーちゃん。子どもたちそれぞれが自分らしくあることを大切にしているパパとママ。右上：ドールハウスは、おじいちゃんからのクリスマスプレゼント。左中：『長くつしたのピッピ』のティーポット。左下：ロシアのおとぎ話を集めた絵本。右下：壁や棚のペイント、リバティ生地のガーランドもママの手作り。

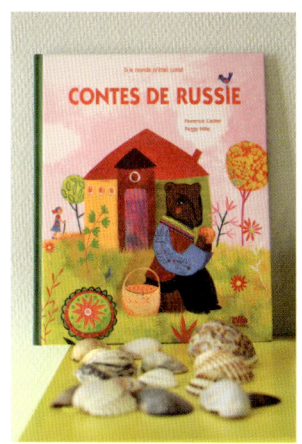

Patricia Rindlisbacher

パトリシア・ランドリスバシェール

créatrice de Sid Larsen & Les coqs

Larsen et Sid

ラルセン & シド

2 garçons / 9 ans et 5 ans

かわいらしいテキスタイルでできた、やわらかい感触の
ギターや、車、ピストルに、大工さんの道具。
パトリシアさんが手がけるのは、男の子たちが
目を輝かせて喜ぶ、布製のおもちゃ。
この楽しいおもちゃが生まれたのは、もちろん
ラルセンくんとシドくんがきっかけ。
ふたりとも、ママの作るおもちゃが大好きです。
家で遊ぶのが、いちばん楽しいという子どもたち。
ゲームをしたり、ごっこ遊びをしたり、仲よく遊びます。

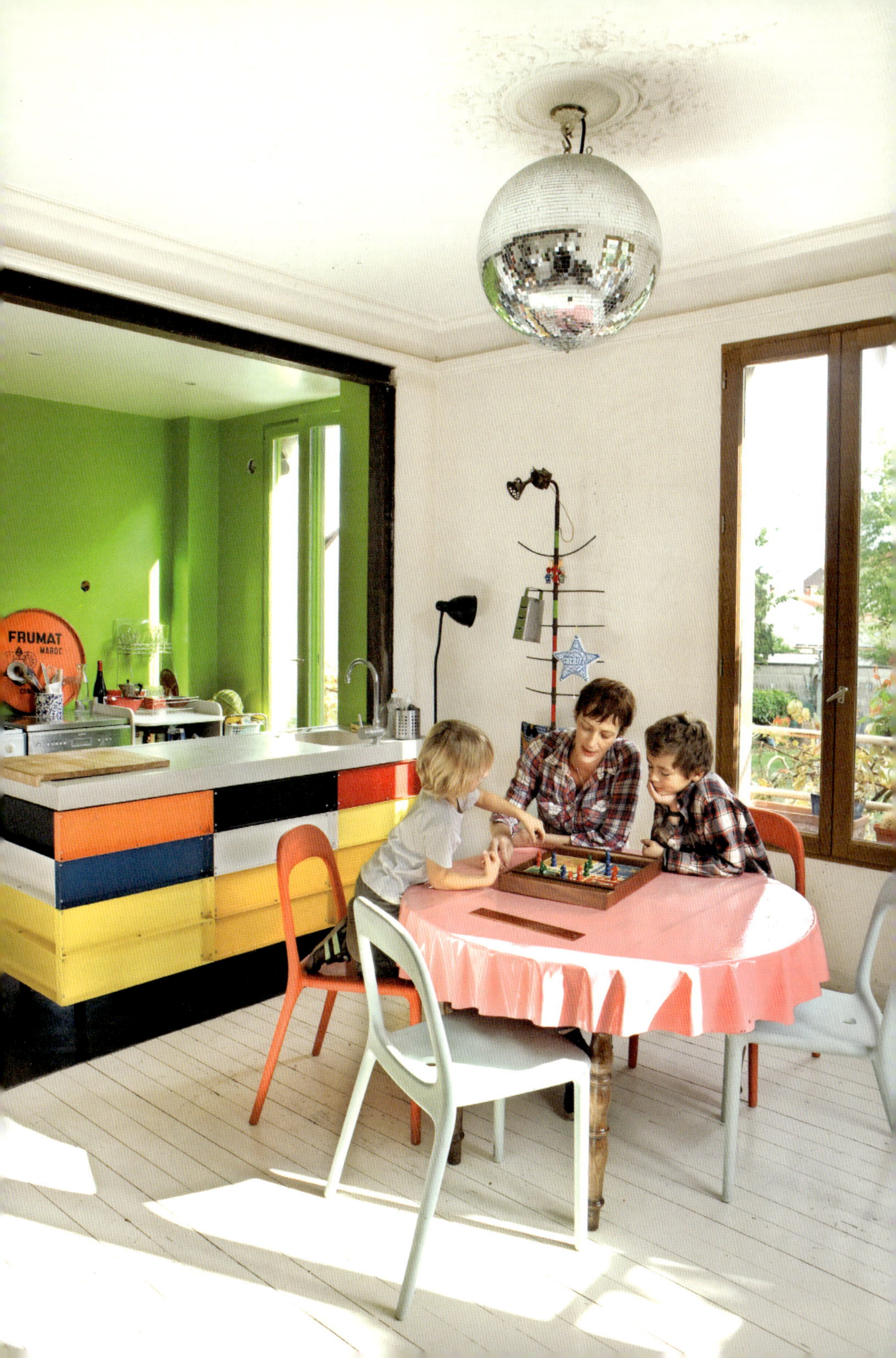
FRUMAT
MAROC

さわやかでモダンなタッチが加わったカントリーハウス

パリ東部の郊外の小さな一軒家が「シド・ラルセン・エ・ル・コック」クリエーターのパトリシアさんの住まい。お隣から聞こえてくるにわとりの鳴き声に、ここがパリに近いことを忘れていまいそうです。この家に暮らせるしあわせをかみしめながら、ゆっくりリフォームしたママ。3部屋に分かれていた1階を広いリビング＆ダイニングに、青りんご色にペイントしたキッチンはカウンターも手作りしました。ママにとってのぜいたくは、子どもたちを学校へ迎えに行くこと。ふたりが学校であったことをお話してくれる、1日の中でいちばん大切な時間です。

左上：ラルセンくんとシドくんが、ママに作ってもらったギターを手に登場。気分はすっかりロックスター！　右上：プレスリーの「ラブ・ミー・テンダー」が流れるオルゴール。
右下：古いプラモデルのカタログをお手本に、ししゅうしているところ。

左上：インスピレーションを与えてくれる子どもたちの名前をブランド名に取り入れたというパトリシアさん。左中：大きなサイズのギターはぬいぐるみ、小さなサイズはオルゴール。右上：ソファーの上には、ママが手がけたクッションがたくさん。左下：ピストルも、ママのコレクションのひとつ。右下：暖炉の上には、ママがひとめぼれしたキッチュなオブジェが並びます。

左上：ラルセンくんとシドくんの部屋は寄せ木張りの床が修復できなかったので、ターコイズ色のリノリウムを敷きました。右上：車が積み重ねられたイラストがかわいい身長計。右中：ママの作品のギターと、ガレージセールで見つけたあみぐるみ。左下：ビートルズの「アビイ・ロード」のレコードジャケットにコラージュ。右下：ふたりのために作ったパトカー型のクッション。

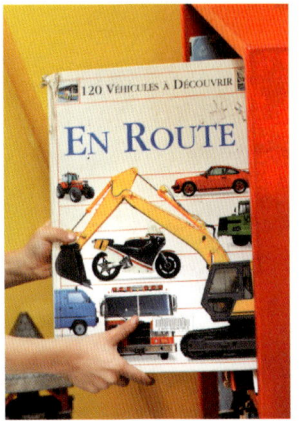

左上：子ども部屋につながる廊下には、動物のマスクをディスプレイ。右上：シドくんのお気に入り、働く車の絵本。左中：ピストルにあわせるベルトもコレクションのひとつ。これを腰につけて、子どもたちはカウボーイごっこ。左下：工具ベルトは、いちばん最初に作ったクリエーション。右下：「イケア」の赤いテーブルはちょうど子どもたちの腰の高さで、ミニチュア遊びにぴったり。

NATALIE VODEGEL ET PATRICK GHENASSIA

ナタリー・ヴォドゲル&パトリック・ゲナッシア

créatrice de Polder et April Showers et directeur artistique

Iris イリス

1 fille / 4 ans

イリスちゃんが暮らすアパルトマンのテラスからは
電車が行き交う、リヨン駅の様子がよく見えます。
ガラス窓から美しい光がもれる、夜の駅は
まるで、映画のワンシーンのよう。
金曜日の夜になると、家族はこの駅から
電車に飛び乗って、郊外のフォンテーヌブローへ。
森の中を散歩したり、カヌーで川遊びをしたり
大好きなクレープやお菓子を作ったり、
イリスちゃんが好きなことをして楽しみます。

左上＆右下：カラフルな粘土「プレイ・ドー」を使って、おままごと。おいしそうなハンバーガーやタルトができました。左中：テーブルの上には、いまパパとママが気に入っているオブジェをディスプレイ。右上：「イケア」のテーブルのまわりには、ハリー・ベルトイアがデザインした「ダイアモンド・チェア」。左下：キッチンの黒板には、オランダの伝統的なホットワインのレシピをメモ。

おしゃべりしたり遊んだり、家族で過ごす空間

アクセサリーブランド「ポルデール」と、子どものための雑貨ブランド「エイプリル・シャワー」を姉妹で立ち上げたナタリーさんと、広告や出版を手がけるアートディレクターのパトリックさん。ふたりにとって、パリはクリエーションに夢中になる場所。平日はイリスちゃんとゆっくりした時間を持てないので、週末は家族でたくさんおしゃべりして、いっぱい遊ぶようにしています。1990年代に建てられたアパルトマンは、機能的でシンプルな造り。ママは自分が生まれ育ったオランダの家のような雰囲気を、このアパルトマンに取り入れました。

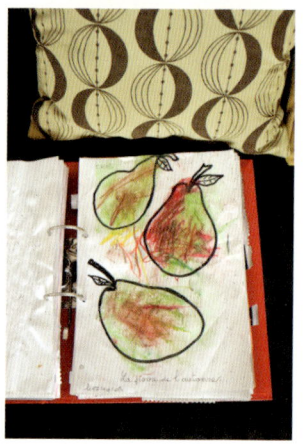

左上：育てやすい多肉植物や松の鉢植えを並べたテラス。イリスちゃんも水やりをお手伝い。右上：イリスちゃんはママのコレクションの帽子をかぶって見せてくれました。右下：幼稚園でぬりえした作品は、1年ごとにファイリング。

左上:「家の中でいちばん美しい」とママ自慢の子ども部屋。右上:「ボルダー」のコレクションの発表会で、ディスプレイ用に作ったうさぎ。右中:歩くといい音がするお気に入りの木靴。その後ろの壁は「ミミ・ルー」のステッカーでかわいらしく。左下:「メゾン・ジョルジェット」のバッグの中には、オランダのおじいちゃんからプレゼントされた人形。右下:「エイプリル・シャワー」のクッション。

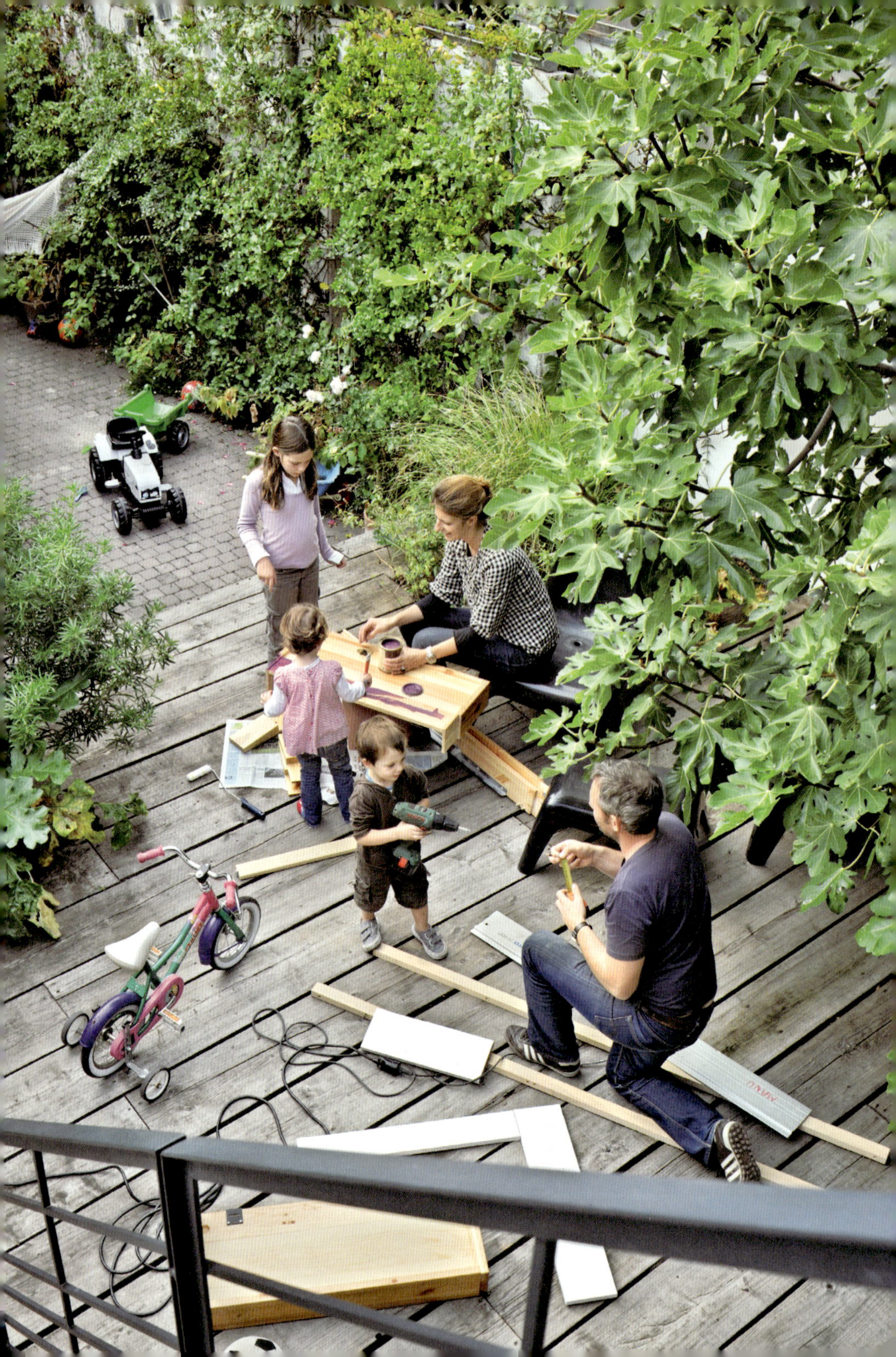

HÉLÈNE ET CHRISTOPHE BOULZE

エレーヌ＆クリストフ・ブールズ
agent de photographe et photographe

Suzanne, Auguste et Céleste

スザンヌ＆オーギュスト＆セレーストゥ
2 filles et 1 garçon / 9 ans, 3 ans et 3 ans

生まれたばかりのスザンヌちゃんを連れて
この家に引っ越してきたパパとママ。
プロの職人さんたちに、協力してもらいながら
リフォームをするうちに、すっかりDIY好きに。
いまでも天気のいい週末には、ウッドデッキのテラスで
ふたごのオーギュストくんとセレーストゥちゃんも
お手伝いしながら、家族で家具づくり。
まだ小さな3歳のオーギュストくんですが、
電動ドライバーを、上手に使いこなします。

みんなで協力して作る、よろこびのあふれる家

モントルイユのマルシェで買い物したり、プールで泳いだり、このカルチエでの暮らしを楽しむブールズー家。ママのエレーヌさんは、フォトグラファーのエージェント、パパのクリストフさんは雑誌や新聞で作品を発表するフォトグラファーです。工事の真っ最中に引っ越しをしてきたので、大工仕事に自然と興味を持ったというふたり。隣家が空いたのをきっかけに、ウッドデッキのテラスも自分たちで作りました。小さなときから大工仕事に親しむ子どもたちも、自分たちで物づくりする楽しさを感じています。

上:子どもたちは広いリビングで遊ぶのが好き。壁に飾った大判の写真は、パパの作品。
左下:スザンヌちゃんが作ったフレームに入れた写真は、家族で出かけたブラジルで撮影したもの。右下:アムステルダムで見つけた「イップ&ヤネッケ」のお皿。

左上：いちじくやオリーブ、ぶどうの木が植えられたテラスで。右上：スザンヌちゃんがかわいがっている金魚のピプリンとニッポン。左中：セレーストゥちゃん3歳の誕生日プレゼント。左下：誕生祝いにもらったイスに、人形を並べて。右下：カラフルなカーペットを敷き、「メゾン・ジョルジェット」のカーテンをかけたセレーストゥちゃんの部屋。ベッドや机はヴィンテージのもの。

左上：スザンヌちゃんが小さなころからおまもりにしているぬいぐるみ。右上：ピンク色にペイントした壁には、自分で選んだちょうちょのステッカーを貼ってデコレーション。飾り棚は家族の手作り。左下：黒板の前で、セレーストゥちゃんと一緒に。右中：近所にある広場の池で遊ぶ、ヴィンテージの船のおもちゃ。右下：赤ちゃんのころ、おばあちゃんからプレゼントされたドレス。

左上：のみの市で見つけたはしごに、誕生祝いの身長計タペストリーをかけて。左中：プレゼントでもらった男の子型の黒板。右上：おばあちゃんが使っていた思い出の棚は、いまオーギュストくんの部屋のクローゼットに。左下：通りで見つけたばかりの小さな机は、これからペイントしようと汚れを落としたところ。右下：リチャード・スキャリーの大判の絵本に夢中のオーギュストくん。

HELENA ET
BRUNO AMOURDEDIEU

ヘレナ&ブリューノ・アムールドゥディウ

attachée de presse et ingénieur

Iris イリス

1 fille / 2 ans

「ほらほら、ここに座って、座って!」
今日のお客さまは、パパとママ。
花柄のクロスを広げた、小さなテーブルに
お皿やカップ、おままごとセットが並びます。
イリスちゃんが、ポットでお茶を注いだら
かわいらしいティーパーティーのはじまり。
こうやって、おもてなしするのが
いまイリスちゃんのお気に入りの遊び。
パパもママも思わずほほえんでしまいます。

左上：ミルク・ピッチャー型の陶器は、イギリスでデザイナーとして活躍するママのお姉さん、キャスリーン・ヒルズの作。左中：「ペドラーズ」の通信販売で見つけたヴィンテージ風牛乳瓶。右上：かわいらしいミニ・ティーパーティーの後ろの壁紙は、レネ・トニ・ケルのデザイン。左下：家具屋さん「フリ」で見つけたイス。右下：ハンガー柄クッションはアンヌ・ユベール、「LOVE」の刺しゅう入りクッションは「ローザ・ランドゥ」のデザイン。

お花や小鳥、キュートなモチーフを楽しくコーディネート

イギリスとフランスのクリエーターたちのエージェントを手がけるヘレナさんと、ソフトウェア開発エンジニアのブリューノさんは、11区の1970年代に建てられたモダンなアパルトマンに暮らしています。パリではめずらしいプライベートの庭がついていて、太陽の下でのびのびと遊ぶことができるイリスちゃんにも、ガーデニングに目覚めたパパにもうれしい空間です。インテリアは、デザインといつも身近なママがコーディネート。さまざまな色や柄のファブリックや壁紙、幅広い年代の家具をミックスした、自由で楽しい雰囲気のアパルトマンです。

左上：イリスちゃんが座っているスツールは、フランスのデザイン・グループ「ENO」の作品。チューリップを描いた絵画は、イギリスの画家パトリス・ムーアの作品。右上：自分で洋服を決めるようになったというイリスちゃんを囲んで。右下：お気に入りのパズル。

左上：家族や友だちから贈られたぬいぐるみ。左中：クレール・ニコルソンの小鳥形クッション。右上：あわいピンク色にペイントしたイリスちゃんの部屋。左下：風車はヴァカンスで出かけたノルマンディーで。刺しゅうのタペストリーは、キャスリーンさんからのプレゼント。右下：アップリケと刺しゅうがほどこされた「ローザ・ランドゥ」のクッションと、女性がプリントされたアンヌ・ユベールのクッション。

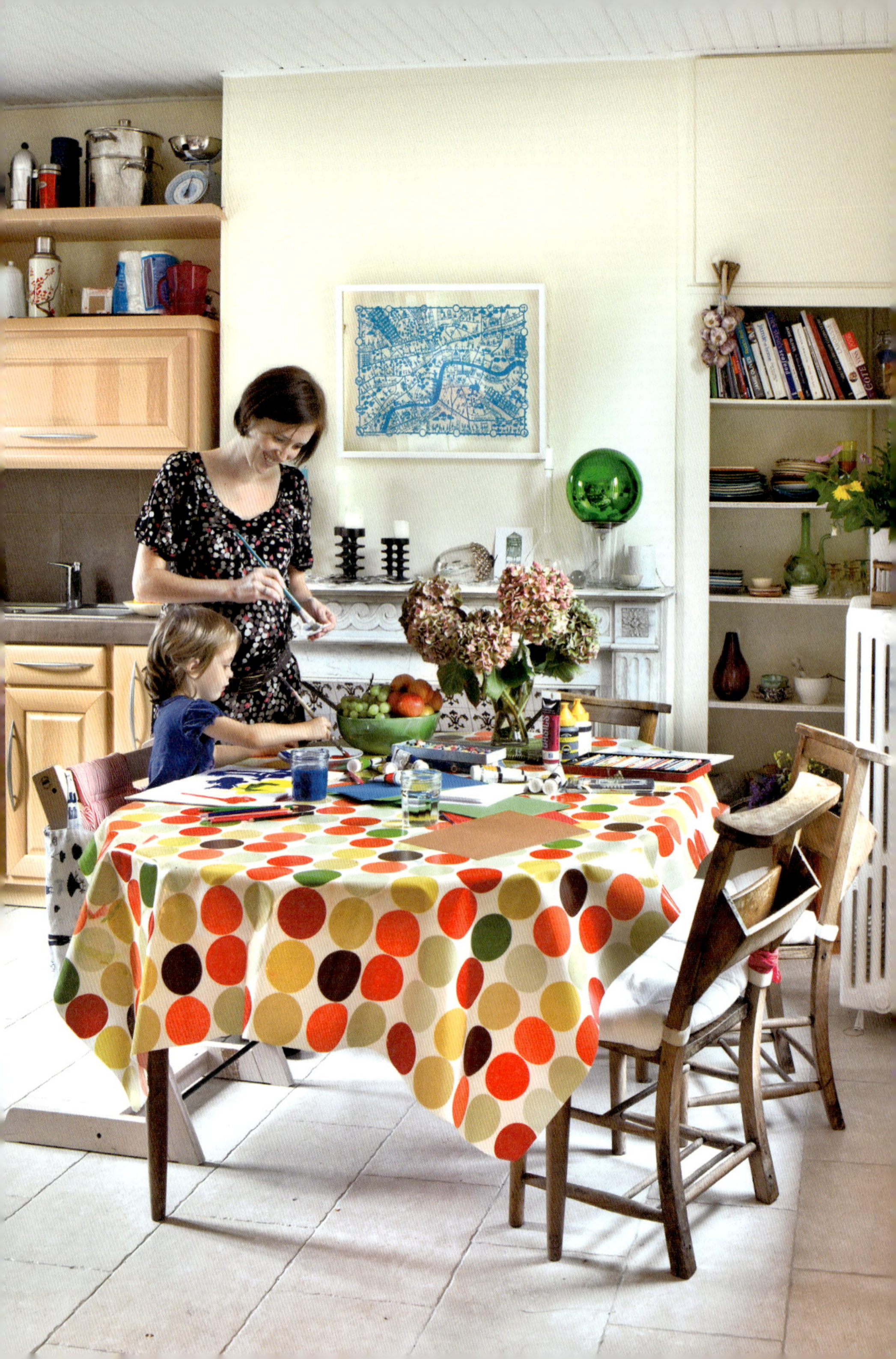

Julie Marabelle et Simon Summerscales

ジュリー・マラベル&シモン・サマースケールズ

créateurs de Famille Summerbelle

Ophélia オフェリア
1 fille / 3 ans

ジュリーさんとシモンさんは、切り絵をモチーフにした
子どものためのインテリア雑貨を手がける
「ファミーユ・サマーベル」のクリエーター。
オフェリアちゃんが2歳になったときに、
創作のインスピレーションをもとめて、
家族みんなで世界中を旅することにしました。
アメリカ、オーストラリア、日本、マレーシア…
さまざまな国で、いろいろな人とふれあうことで
オフェリアちゃんも、大きく成長したようです。

クリエイティブなファミリーのあたたかな巣

もともとロンドンに暮らしていたジュリーさんとシモンさん、そしてオフェリアちゃん。世界各地をまわった6か月間の旅をきっかけに、ジュリーさんの出身地に近いパリ郊外の一軒家へと引っ越しました。外観を飾る陶製のタイルや、板張りの床、暖炉に心ひかれたというパパとママ。まっ白に美しくリフォームされたばかりの室内に並ぶ「ファミーユ・サマーベル」のポエティックな作品や、手作りのインテリア雑貨があたたかみをもたらしてます。筆を使って水彩で絵を描くのが好きという、オフェリアちゃんの作品も誇らしげに飾られています。

左上:リビングには、結婚祝いに贈られたイームズのロッキングチェア。クッションは「ファミーユ・サマーベル」のもの。右上:大好きなママの首に手を回して。右下:おばあちゃんが作った花器と、ママの切り絵作品。フレームは日本の千代紙を貼ってカスタマイズ。

左上：陶芸家として活躍する、おばあちゃんのフランソワーズ・アンドレの作品。右上：結婚式に撮影してもらった、お気に入りのポートレート。左中：テニスが大好きだったひいおじいちゃんがジャック・タチ監督と一緒に撮影した写真。左下：ママとパパが出会った思い出の街、ロンドンを描いたサセックの絵本。右下：インスピレーション・ソースをピンナップしたカラフルなコーナー。

左上：イギリスのショップ「ママス&パパス」のベッドの上を、紙風船でデコレーション。右上：代表作の「ファミリー・ツリー」で、家族の写真を素敵にディスプレイ。左中：おままごとに夢中のオフェリアちゃん。左下：パパが子どものころの写真と、「ファミーユ・サマーベル」のデザインテープを貼った紙製の家。右下：お気に入りの遊びは、アフタヌーン・ティーごっこ。

左上：切り絵作品をモチーフにしたクッション。左から「サムズ・ショップ」「ドレッシング・アップ」「キッシング・バーズ」。右上：ママがさまざまな紙をコラージュした引き出しに、オフェリアちゃんが毎晩一緒に眠るひつじを入れて。左中：「アポリアンヌ・ア・パリ」のうさぎ。左下：幼稚園の道具入れにしているバッグ。右下：壁一面に貼られた、オフェリアちゃんの作品。

ALICE ET LUC CHARBIN

アリス&リュック・シャルバン
illustratrice et papa à plein temps

Alfred, Horace, Ondine, Maude et Edmé
アルフレッド&オラス&オンディーヌ&モード&エドメ
3 garçons et 2 filles / 11 ans, 10 ans, 6 ans, 4 ans et 1 an

シャルバン家は、パパとママに5人の子どもたち。
ビュットショーモンの丘の上に建つ一軒家は、
いつも子どもたちの笑い声に包まれています。
おやつの時間は、みんなでキッチンに。
「ママはタルティーヌの女王さまだよ!」と
ママが用意してくれる、おいしいおやつに
子どもたちはみんな、大よろこび。
たくさん遊んで、自分より小さな子には親切に。
にぎやかな大家族のしあわせなひとときです。

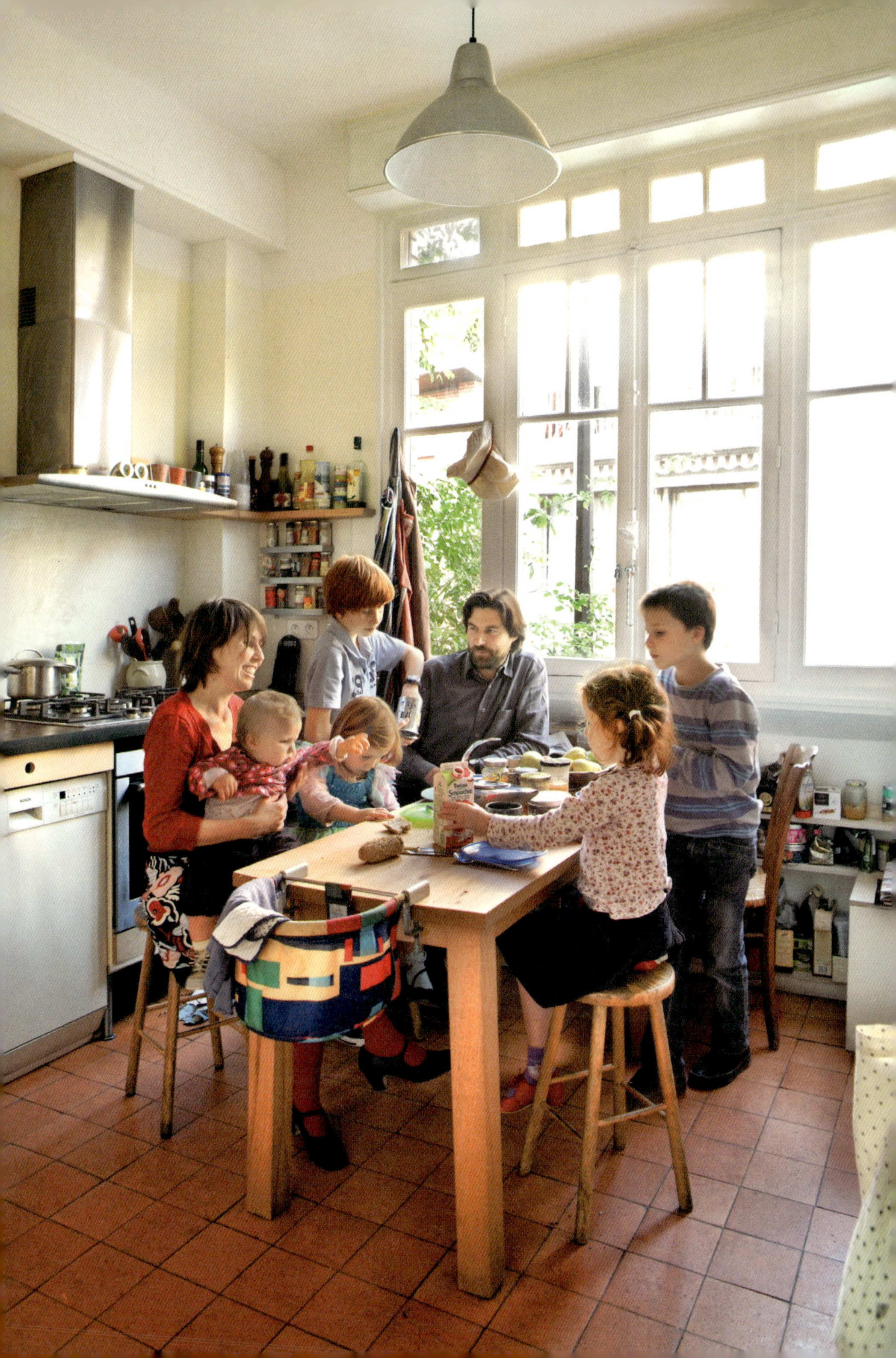

にこにこ笑顔があふれる、にぎやか大家族の家

シャルバン家は、男の子3人に女の子2人という大家族。ママのアリスさんは絵本や広告、雑貨のデザインを手がけるイラストレーター、そしてリュックさんは現在パパ業に専念しています。ママのアトリエは家の中にあるので、家族の時間はたっぷり。でも、ひとりひとりに愛情を表現する、ささやかなひとときを見逃さないようにしているというパパとママ。インテリアでは古い家具にオブジェや絵画など、家族から受け継いだものが混ざりあっています。それぞれの家族の思い出にいろどられた宝箱のような空間です。

上：お客さまが多いときに便利な丸テーブルを中心にしたリビング。白い食器棚の横にあるマリオネットの舞台では、子どもたちが人形劇を演じてくれます。左下：クリエーターの展示会で出会ったカップと魚のオブジェ。右下：ヴァカンスに親戚みんなで集まるノルマンディーの家での写真。

左上：家族みんなで集まると、おしゃべりがたえません。右上：朝の身支度から、食事、お風呂の時間や、共有スペースの使い方など、シャルバン家のルールをママのイラストでまとめたポスター。左中：ママがイラストを手がけた絵本。左下：毎年、家族の近況をママがイラストにして作るクリスマスカード。右下：おやつのあとは宿題の時間。書き取りに取り組むモードちゃん。

左上：20世紀初頭のイギリス製の木の引き出しは、おじいちゃんから譲り受けたもの。棚には子ども用の靴コレクションが並びます。右上：年も近いオンディーヌちゃんとモードちゃんは親友のよう。右中：ママ手作りのクッションと「プチ・パン」のキルティング・マット。左下：誕生日プレゼントをくれたふたりに、ママからお礼のカード。右下：変装ごっこ用に作った王冠。

左上：オラスくんが作ったファミリーツリー。ママのお父さん、フィリップ・デュマさんは絵本作家としても有名なイラストレーター。**右上**：イギリスのおじさんからもらった写真立てには、パパとママの写真。**左下**：アルフレッドくんの部屋にピンナップされた写真は、夢中になっているスケートボードのもの。**右中**：2歳からずっと弾いているギター。**右下**：ナオミ・サイトウのデザインしたイス。

SANDRINE PLACE ET STÉPHANE DESCH

サンドリンヌ・プラス&ステファン・デッシュ

styliste et directeur de production musicale

Milo et Léon

ミロ&レオン

2 garçons / 9 ans et 5 ans

インテリアスタイリストのサンドリンヌさんと
音楽プロダクションのディレクターのステファンさんは
ミロくんとレオンくんと、4人家族。
若いころから、ずっとロックに夢中だったパパ。
みんなで一緒に楽しむことができる音楽は、
この家族に、なくてはならない大切なものです。
ミロくんは、エレキギターを習いはじめたところ。
今日は、それぞれウクレレを抱えて
「スタンド・バイ・ミー」を合奏です。

左上：キッチンの中央にあるテーブルで、レオンくんは朝ごはん。右上：玄関の廊下とキッチンの仕切りになったガラス窓には、ヴァカンスや家族の思い出の写真を貼って。左中：りんごの季節には毎日のように作る、子どもたちも大好きなコンポート。左下：叔母のガエルさんがクリスマスプレゼントに作ってくれたクッション。右下：レオンくんはパパに、ミロくんはママに教えてもらいながら演奏します。

さまざまな色たちの出会いが奏でる、素敵なメロディ

サンドリンヌさんとステファンさん一家は、もともと工場だった建物をリノベーションした集合住宅に暮らしています。自分たちでアイデアを出しながらリフォームした室内は、地下に子どもたちの遊び場とママのアトリエ、1階にキッチンとリビング、2階に子ども部屋とベッドルームという間取り。家具やキッチンの扉など、木製のパーツは日曜大工が得意なパパが手作りしました。家全体にくつろぎとぬくもりを感じさせる、それぞれの部屋のカラーリングはママがセレクト。さらにあざやかな色の家具を取り入れることで、明るさをもたらしています。

左上：広々としたアイランド型キッチンは、お料理しやすそう。シンクの上には、「ツェツェ・アソシエ」のビッグ・シェルフとインディアン・キッチンを取り付けました。右上：馬型のカードホルダーは「ハビタ」で。右下：スウェーデンののみの市で見つけた脚付き皿と青い花器。

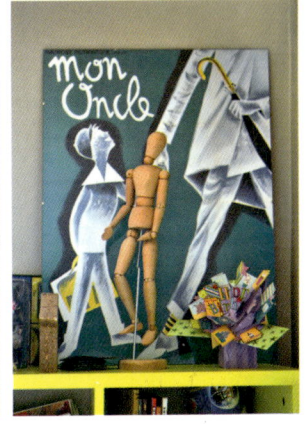

左上：ママの仕事でモデルになることも多いレオンくんは、撮影にあきてしまったよう。ミロくんはいま、飼いはじめたばかりのねずみのユミーに夢中です。右上：ミロくん2歳の誕生日に贈られたポスター。左中：叔父のアレクシスさんからプレゼントされたロボット。左下：スキーが得意なミロくんが大会で入賞した記念のメダル。右下：黒板になっている玄関のドアに、お絵描きするレオンくん。

上：子ども部屋の家具は、ひとつずつ違う色にペイント。中：のみの市で見つけた80年代の電話のおもちゃと、スパイダーマンのCDプレイヤー。左下：将来フォトグラファーになりたいというレオンくんのおもちゃのカメラ。中下：ボーリング・ゲームは、ぶつかると大きな音をたてるのでお庭で遊びます。右下：ママがブラジルで見つけた羽根飾りと、レオンくんの仮装用の帽子。

ママが撮影用にハンドメイドしたロボットのタペストリーが貼られたレオンくんの部屋。「ハビタ」のテントは、小さな秘密の空間です。

FRÉDÉRIQUE ET HUGUES REBOUL

フレデリック&ユーグ・ルブール
illustratrice et publicitaire

Félix, Lison et Rose
フェリックス&リゾン&ローズ
1 garçon et 2 filles / 11 ans, 8 ans et 4 ans

子どもたちが生まれる前に、この家にやってきた
フレデリックさんとユーグさん。
引っ越してきたときは、ふたりだけで
広々としていた家も、いまは3人の子どもたちと
ネコのカントナがいる、にぎやかな家族の住まいに。
ルブール・ファミリーはみんな手作りが好き。
イラストレーターで、陶器の作品も手がけるママ。
週末に、クリエーションをはじめると
「私たちにもやらせて！」と、子どもたちが集まります。

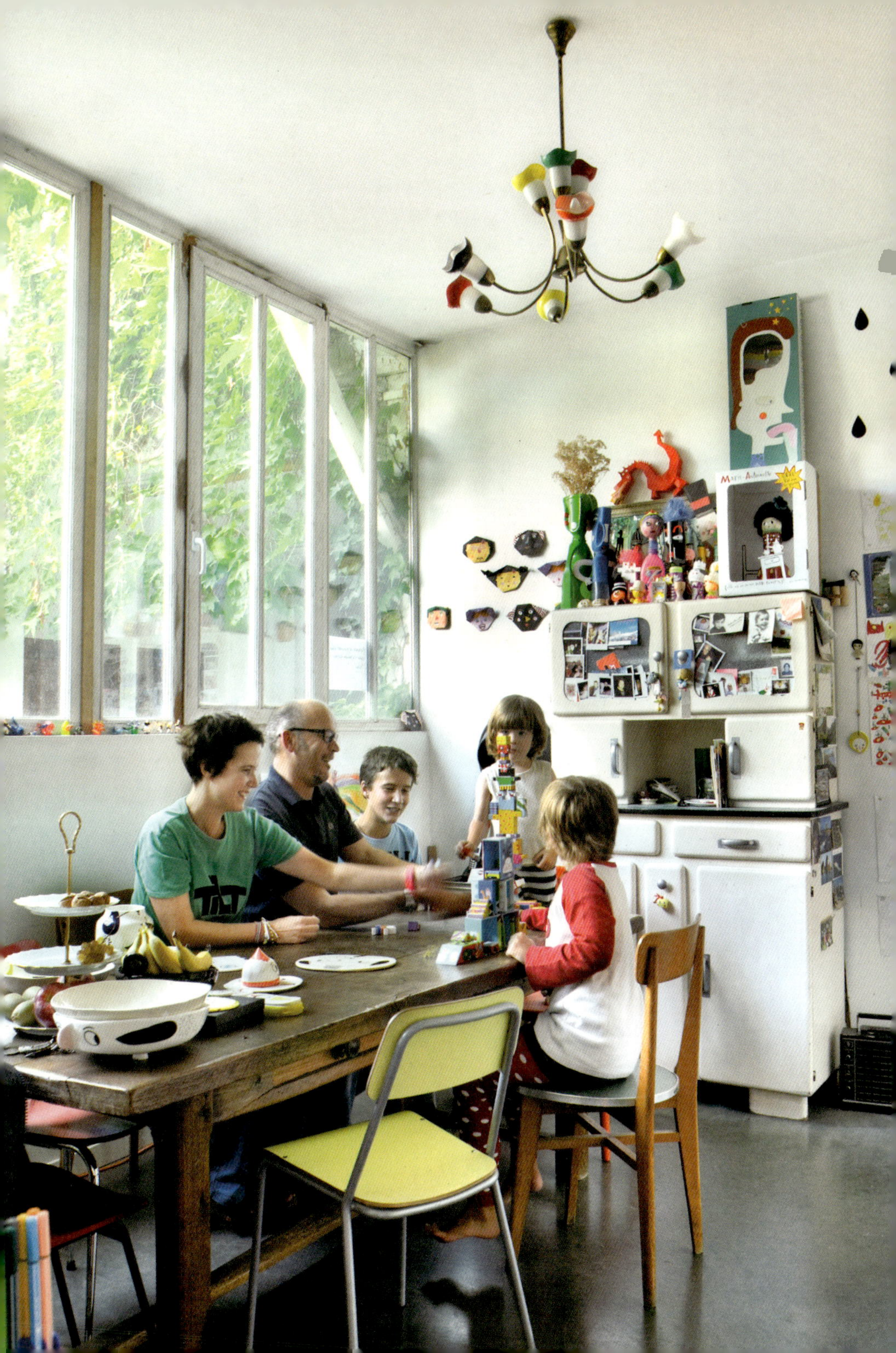

お絵描きしたり、工作したり、家族みんなのアトリエ

マルシェや映画館、ヴァンセンヌの森など家族で楽しむことができる場所が多いパリ東の郊外は、ファミリーで暮らすのに理想的なカルチエ。ルブール一家が暮らすのは、外壁がツタにおおわれた一軒家。水道とガス、電気が通っているだけで、ほかにはなにもなかった元印刷工場の建物を手に入れ、家族の住まいにリフォームしました。家具や雑貨には、弾けるようにあざやかな色が使われています。ママの作品と同じくファンタジーとユーモアあふれる空間で、子どもたちもそれぞれの創造性を育んでいます。

上：本がたくさん並ぶリビングは、家族のお気に入りの空間。左下：無地のマトリョーシカを100体ほど、ロシアのサイトで手に入れたママ。1体1体にイラストを描きこんでいます。右下：「リリ・スクラッチィ」の名前でイラストレーターとして活躍するママの絵本とバンデシネ。

左上：ジェコ社とコラボレーションしたおもちゃ。右上：広告会社でディレクターを務めるパパ、フェリックスくん、ローズちゃん、そしてママとリゾンちゃん。左下：子ども部屋の前のスペースに「イケア」のぶらんこを吊るして。右中：ママが卒業制作で手がけた陶器「ミスター・チェリー」。右下：首を回すと違う表情の顔があらわれるという人形は、ママが気分転換に作ったもの。

上：ロフト付きのリゾンちゃんの部屋。上から見下ろすと窓の外に緑が広がって、木のぼりしているよう。中：リゾンちゃんお気に入りの靴。特にエナメルの黒い靴はよくはくので、修理しながら大事に使っています。左下：はじめたばかりのアコーディオンを手に。中下：メキシコ製のバッグは、おままごと道具入れ。右下：メキシコでお祝いごとのときに遊ぶピニャータは、お誕生日に。お菓子がいっぱい詰まっていて、棒で叩いて割って遊びます。

左上：ローズちゃんの部屋のベッドには、お姫さまのようにオーガンジーを垂らして。右上：ルブール家の子どもたちが最初に読む絵本『ル・プチ・フレール・ドゥ・ゾエ』。右中：古いはしごを洋服かけに。左下：ネコのカントナの名前は、パパとフェリックスくんの好きなサッカーの選手にちなんで。右下：「イケア」の収納ボックスを、壁に横向きに取り付けた飾り棚。

CAROLINE FLÉ-JACQUET ET ARNAUD JACQUET

キャロリーヌ・フレ-ジャケ&アルノー・ジャケ

architecte d'intérieur et directeur affaires publiques

Capucine キャプシーヌ

1 fille / 2 ans

キャプシーヌちゃんは、保育園に入ったばかり。
ひとりで遊ぶのが上手だし、みんなともすぐに仲よしに。
パパとママと一緒に、海外旅行や食事にでかけたり
ママの仕事で会議があるときも、ついていくので
だれとでも親しむことのできる女の子になりました。
お互いの絆と愛、生きる喜びを大切にしているパパとママ。
夏には、山へハイキングの旅に行きました。
標高3000メートルの頂上近くの山小屋で
家族で一晩過ごしたのは、とてもいい思い出です。

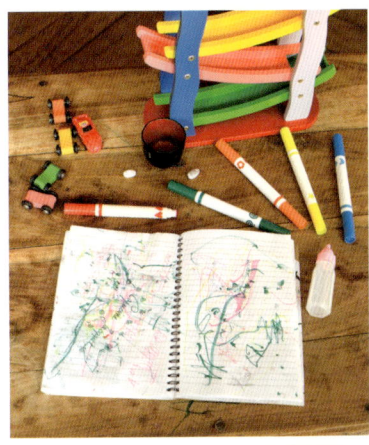

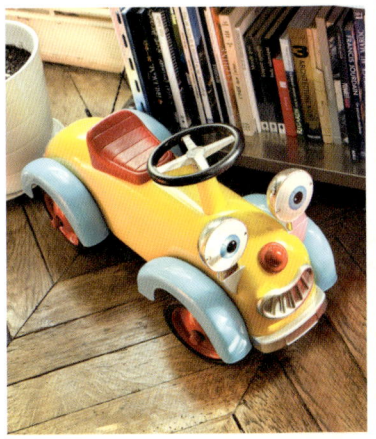

左上：お絵描きが大好きなキャプシーヌちゃん。仕事中のママの手元から、ペンを横取りしてしまうことも。左中：おばあちゃんからプレゼントされたお気に入りのおもちゃ。右上：新婚旅行先のスリランカをはじめ、エキゾチックな旅の思い出がたくさん詰まったリビング。左下：リビング横のパパとママのベッドルームは、スウィートなピンク色。右下：家族で旅した思い出の場所のスケッチ。

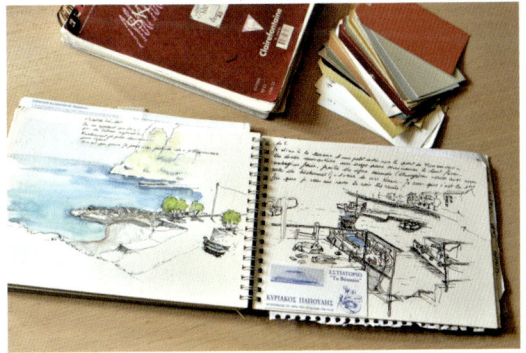

クラシックな空間が、色のマジックでモダンに変身

キャロリーヌさんは、個人の住まいのリフォームや店舗の内装を手がける建築家、アルノーさんはベルギーの企業の広報を手がけています。家族3人の住まいは、9区にある19世紀に建てられたアパルトマンの4階。静かな石畳の中庭を見下ろす部屋は、太陽の光がたくさん入ってくる明るい空間です。サフラン・イエローにラズベリー・レッド、マシュマロ・ピンクと、それぞれの部屋をカラフルにペイントしたパパとママ。寄せ木張りの床や暖炉、天井飾りなどがあるパリらしいクラシックな部屋が、モダンに変身しました。

左上：子ども部屋は、ピンクの小物がよく映えるグレーにペイント。右上：キャプシーヌちゃんが生まれたときに作ったお知らせカード。右下：誕生祝いに贈られた身長計には、成長がひとめで分かるよう日付と体重をメモ。

左上：ママのおじさんが書いたエジプトの旅の物語の本。**右上**：ベルギー出張の多いパパにとって、キャブシーヌちゃんと遊ぶ週末は、しあわせなひととき。**左中**：ママが子どものころに着ていたリバティ生地のワンピース。**左下**：ママ手作りのビスケット型毛布がお気に入り。**右下**：キャブシーヌちゃんの手が届く場所におもちゃを、高い位置には誕生祝いにもらった思い出の品をディスプレイ。

113

JULIE ANSIAU ET JÉRÔME MOUSCADET

ジュリー・アンジオウ&ジェローム・ムスカデ
photographe, plasticienne et réalisateur

Rose, Joseph et Alma

ローズ&ジョセフ&アルマ
2 filles et 1 garçon / 9 ans, 6 ans et 2 ans

まっ白にペイントした、明るい部屋に並ぶ
カラフルなヴィンテージのおもちゃや家具。
ママに創作のインスピレーションを与えるオブジェも
子どもたちにとっては、まるで遊び仲間のよう。
ポップな色と、チャーミングな表情の雑貨に
囲まれたリビングで、今日はゲーム大会。
小さなアルマちゃんは、にこにこと応援です。
わいわいとおしゃべりしながら
みんなゲームのなりゆきに夢中です。

Olympische Spiele München 1972

笑顔が似合う、ポップでさわやかなアパルトマン

サンマルタン運河の北、スタリングラッド地区に建つアパルトマンが、一家5人の住まいです。パパのジェロームさんはテレビアニメのディレクター。ママのジュリーさんは雑誌でフォトグラファーとして活躍しながら、刺しゅうをほどこしたフェルト素材の作品を発表しています。ふたりとも古いオブジェが好きで、子どもたちもおもちゃを手に入れるために、のみの市に喜んでついてきます。特にローズちゃんは掘り出し物との出会いを楽しんでいる様子。みんなで集めた古いオブジェが美しくおさめられるよう、パパはいまでも少しずつ棚を作り足しています。

左上：パパの手作り本棚には、パパとママが子どものころに親しんでいた絵本がたくさん。右上：詩を読んでイメージしたものを絵に描くという学校の宿題。この宿題ノートは、毎年大切にとっておきます。右下：1875年製のフィシャー・プライス社の人形は、アルマちゃんへのプレゼント。

上：壁のポスターはトム・ウェッセルマンの作。リビングにはイームズやアルネ・ヤコブセンのアームチェアが並びます。中：小さな心配事が大きくならないように、なんでも話すことが、家族がいつも笑顔でいられる秘けつ。左下：女の子たちのバッグかけ。中下：のみの市で見つけたドールハウス用の家具。右下：アルマちゃんの洋服はママが、ひよこのロッキングチェアはおじさんが、子どものころに使っていたもの。思い出のものを大切にしています。

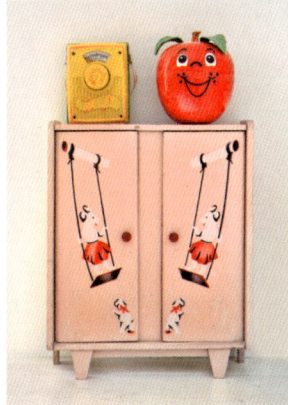

左上：ローズちゃんの机のそばには、のみの市などで見つけた古いオブジェがたくさん。右上：おじいちゃんからもらった緑色の棚には、「マイ・リトル・ポニー」のコレクションがずらり。右中：ママがアップリケしたプール用バッグ。右下：ネット・オークションで時間をかけて探したおもちゃたち。右下：子どものころと学生時代のパパの写真、その横には発泡スチロールで作ったバスルーム。

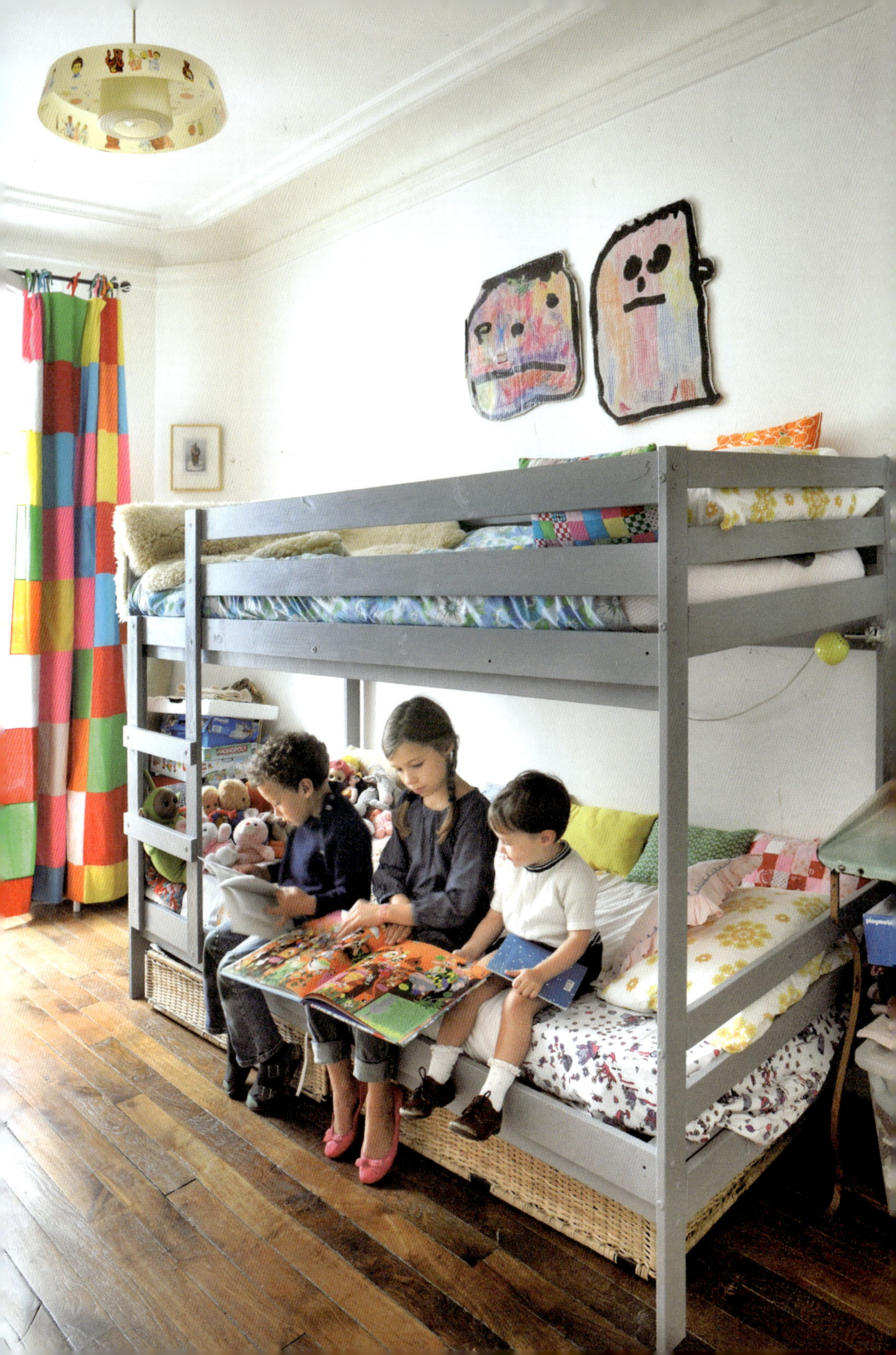

ISABELLE DUBOIS-DUMÉE BETTAN ET HUBERT BETTAN

イザベル・デュボワ-デュメ・ベタン&ユベール・ベタン
créatrice des Petites Emplettes et directeur de projet

Augustine, Lilou et Pimprenette
オーギュスティン&リルー&パンプルネット
3 filles / 10 ans, 8 ans et 6 ans

楽しいウィークエンドは、金曜のディナーから
はじまるという、ベタン・ファミリー。
ディナーのしめくくりは、みんなで歌って、ダンス!
子どもたちと一緒にふざけたり、いたずらしたり
楽しい時間を共有することを大切にしているパパとママ。
今日は、オーギュスティンちゃんが用意した
紙吹雪をみんなでまきながら、大はしゃぎ。
自分たちと同じ視線で、楽しんでくれる両親が
3人の女の子にとっても、うれしくて仕方ありません。

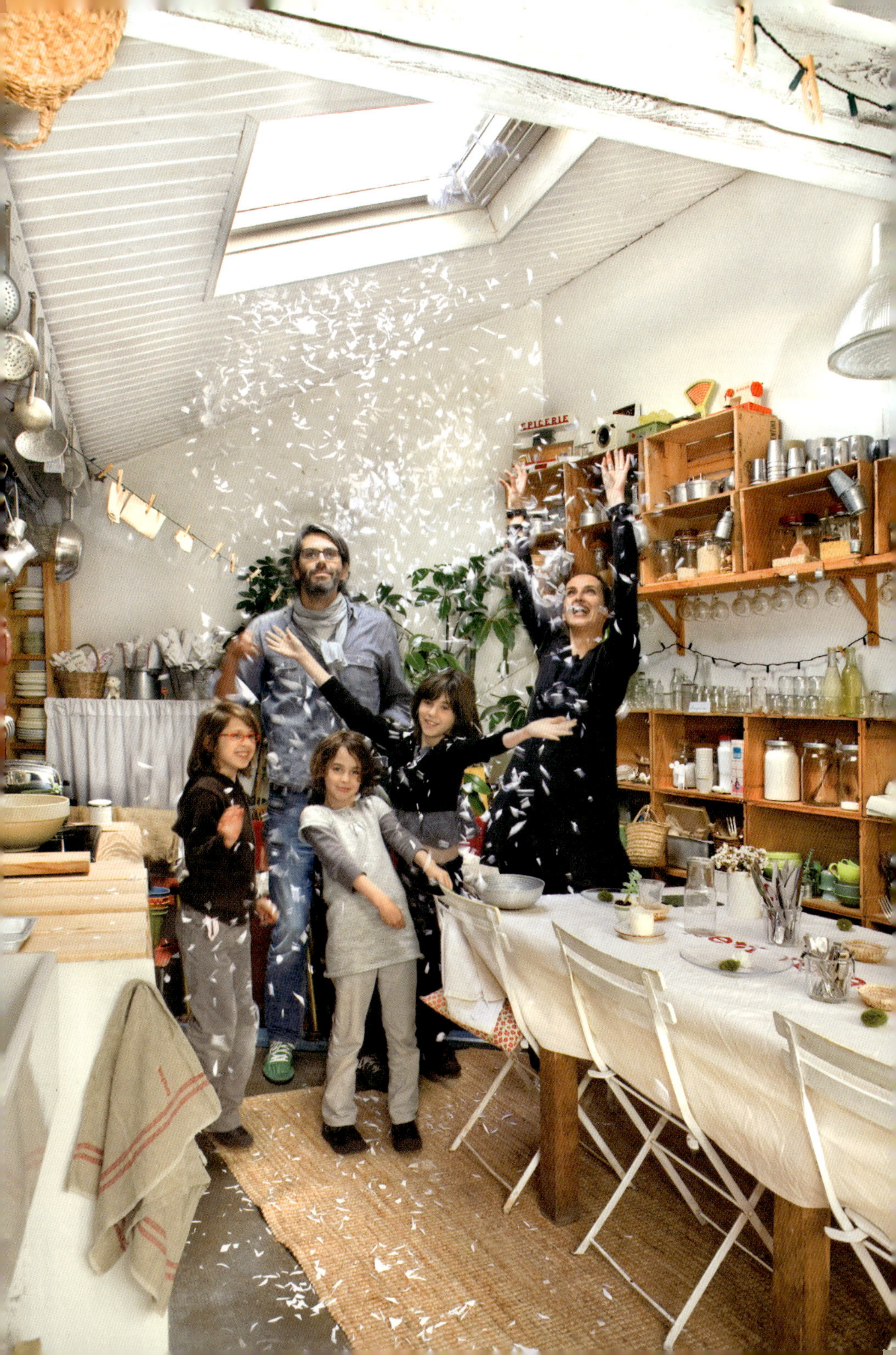
EPICERIE

ナチュラルなやさしい空気に包まれる、心地よいコテージ

パリ西部の郊外に、イザベルさんとユベールさん、そして3人の女の子たちが暮らす家があります。天井や床に木の板をはりめぐらしてパパがリフォームした室内は、まるでコテージのよう。ヴァカンスにでかけたような、のびのびした雰囲気がただよっています。ママは雑貨ブランド「レ・プティット・アンブレット」のデザイナー、パパはテレビ番組の企画を手がけながら、ママのサポートもしています。ナチュラルな風合いの素材から生まれる、シンプルで心地よい雑貨たちは、この家族の住まいの雰囲気そのものです。

左上:土曜日は、パパ得意のフライドポテトが食卓に。ママは紙を使ってポテトを入れるカップを作ります。右上:ワインの木箱を壁に取り付けて、キッチンの収納に。
右下:ガーゼの袋に入った「レ・プティット・アンブレット」のおままごとセット。

左上：パパとママ、そして左からお姉ちゃんのオーギュスティンちゃん、リルーちゃん、末っ子のバンブルネットちゃん。右上：夏を過ごすアネシーののみの市で見つけたおもちゃの時計。左中：雑貨を並べた小さなコーナーは、まるで絵本の1ページのよう。左下：ポストカードスタンドには、モノクロの家族写真。右下：コレクションしている子ども用イスは、棚から吊り下げてディスプレイ。

左上：リルーちゃんとバンブルネットちゃんのイニシャル文字の下には、ドールハウス用の家具。「ロバのトコちゃん」の絵本はお気に入りの1冊。右上：おもちゃのベビーカーは天井から吊り下げてディスプレイに。左中：バンブルネットちゃんが学校で作った風車。左下：リルーちゃんがかわいがっているぬいぐるみ。右下：ババが作ってくれたベッドが並ぶ、リルーちゃんとバンブルネットちゃんの部屋。

左上：のみの市で見つけた柳細工のバスケットは、オーギュスティンちゃんの宝物入れ。左中：ママの両親の友だちから譲ってもらったアンティークのスーツケース。右上：オーギュスティンちゃんの部屋はロフト・ベッド付き。パパが作ったはしごがかけられています。左下：馬が大好きというオーギュスティンちゃん。右下：のみの市で見つけた白馬と、グリーンピースを育てているガラス瓶。

toute l'équipe du livre

édition PAUMES

Photographe : Hisashi Tokuyoshi

Design : Kei Yamazaki, Megumi Mori

Textes : Coco Tashima

Coordination : Pauline Ricard-André, Charlotte Sunden-Barbotin, Fumie Shimoji

Conseil aux textes français : Emi Oohara

Éditeur : Coco Tashima

Art direction : Hisashi Tokuyoshi

Contact : info@paumes.com   www.paumes.com

Impression : Makoto Printing System

Distribution : Shufunotomosha

Nous tenons à remercier tous les artistes qui ont collaboré à ce livre.

édition PAUMES   ジュウ・ドゥ・ポウム

ジュウ・ドゥ・ポウムは、フランスをはじめ海外のアーティストたちの日本での活動をプロデュースするエージェントとしてスタートしました。
魅力的なアーティストたちのことを、より広く知ってもらいたいという思いから、クリエーションシリーズ、ガイドシリーズといった数多くの書籍を手がけています。近著には「パリジャンのアパルトマン」や「北欧コペンハーゲンのアパルトマン」などがあります。ジュウ・ドゥ・ポウムの詳しい情報は、www.paumes.com をご覧ください。

また、アーティストの作品に直接触れてもらうスペースとして生まれた「ギャラリー・ドゥー・ディマンシュ」は、インテリア雑貨や絵本、アクセサリーなど、アーティストの作品をセレクトしたギャラリーショップ。ギャラリースペースで行われる展示会も、さまざまなアーティストとの出会いの場として好評です。ショップの情報は、www.2dimanche.com をご覧ください。

Paris Family Style
パリのファミリースタイル

2010 年　2 月 28 日　初版第　1 刷発行

著者：ジュウ・ドゥ・ポゥム

発行人：徳吉 久、下地 文恵
発行所：有限会社ジュウ・ドゥ・ポゥム
　　　　〒150-0001 東京都渋谷区神宮前 3-5-6
　　　　編集部 TEL / 03-5413-5541
　　　　www.paumes.com

発売元：株式会社 主婦の友社
　　　　〒101-8911 東京都千代田区神田駿河台 2-9
　　　　販売部 TEL / 03-5280-7551

印刷製本：マコト印刷株式会社

Photos © Hisashi Tokuyoshi
© édition PAUMES 2010 Printed in Japan
ISBN978-4-07-271555-0

Ⓡ <日本複写権センター委託出版物>
本書（誌）を無断で複写複製（コピー）することは、著作権法上の例外を除き、禁じられています。本書（誌）をコピーされる場合は、事前に日本複写権センター（JRRC）の許諾を受けてください。
日本複写権センター（JRRC）
http://www.jrrc.or.jp　eメール：info@jrrc.or.jp　電話：03-3401-2382

＊乱丁本、落丁本はおとりかえします。お買い求めの書店か、主婦の
　友社 販売部 MD企画課 03-5280-7551 にご連絡下さい。
＊記事内容に関する場合はジュウ・ドゥ・ポゥム 03-5413-5541 まで。
＊主婦の友社発売の書籍・ムックのご注文はお近くの書店か、
　コールセンター 049-259-1236 まで。主婦の友社ホームページ
　http://www.shufunotomo.co.jp/ からもお申込できます。

ジュウ・ドゥ・ポゥムのクリエーションシリーズ

キュートなインテリアのアイデアがいっぱい
chambres d'enfants à Paris
ようこそパリの子ども部屋

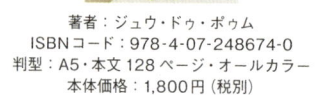

著者：ジュウ・ドゥ・ポゥム
ISBNコード：978-4-07-248674-0
判型：A5・本文128ページ・オールカラー
本体価格：1,800円（税別）

パリの家庭の味を紹介するレシピブック
recettes des mamans à Paris
パリのママンのおうちレシピ

著者：ジュウ・ドゥ・ポゥム
ISBNコード：978-4-07-262444-9
判型：A5・本文128ページ・オールカラー
本体価格：1,800円（税別）

パパとママの愛情がたっぷり込められた空間
children's rooms "Stockholm"
ストックホルムの子ども部屋

著者：ジュウ・ドゥ・ポゥム
ISBNコード：978-4-07-250139-9
判型：A5・本文128ページ・オールカラー
本体価格：1,800円（税別）

子どもたちのファンタジーが詰まった夢の国
children's rooms "London"
ロンドンの子ども部屋

著者：ジュウ・ドゥ・ポゥム
ISBNコード：978-4-07-254551-5
判型：A5・本文128ページ・オールカラー
本体価格：1,800円（税別）

おとぎ話の町に暮らす、22人の子どもたち
children's rooms "Copenhagen"
北欧コペンハーゲンの子ども部屋

著者：ジュウ・ドゥ・ポゥム
ISBNコード：978-4-07-263930-6
判型：A5・本文128ページ・オールカラー
本体価格：1,800円（税別）

いつでもヴァカンスのような心地よさ
Copenhagen apartments
北欧コペンハーゲンのアパルトマン

著者：ジュウ・ドゥ・ポゥム
ISBNコード：978-4-07-269794-8
判型：A5・本文128ページ・オールカラー
本体価格：1,800円（税別）

www.paumes.com

ご注文はお近くの書店、または主婦の友社コールセンター（049-259-1236）まで。
主婦の友社ホームページ（http://www.shufunotomo.co.jp/）からもお申込できます。